崇文馆 家庭典藏

崇文国学经典普及文库

阅微草堂笔记

（清）纪昀◎著
方晓◎译

长江出版传媒
崇文书局

阅微草堂笔记

图书在版编目（CIP）数据

阅微草堂笔记 /（清）纪昀著；方晓注译 .
—武汉 ：崇文书局，2017.1
（崇文国学经典普及文库）
ISBN 978-7-5403-4266-1
Ⅰ．①阅…
Ⅱ．①纪… ②方…
Ⅲ．①笔记小说 - 小说集 - 中国 - 清代②《阅微草堂笔记》- 译文
Ⅳ．① I242.1
中国版本图书馆 CIP 数据核字（2016）第 251678 号

出 品 人　潘启胜

统　　筹　陈中琼
责任编辑　李艳丽
出版发行　长江出版传媒 | 崇文书局
地　　址　武汉市雄楚大街 268 号 C 座 11 层
电　　话　(027)87293001　邮政编码　430070
印　　刷　湖北恒泰印务有限公司
开　　本　889×1194　　1/32
印　　张　7.25
字　　数　160 千字
版　　次　2017 年 1 月第 1 版
印　　次　2017 年 1 月第 1 次印刷
定　　价　25.80 元
（如发现印装质量问题，影响阅读，请与承印厂调换）

总序

现代意义的“国学”概念，是在19世纪西学东渐的背景下，为了保存和弘扬中国优秀传统文化而提出来的。1935年，王缁尘在世界书局出版了《国学讲话》一书，第3页有这样一段说明：“庚子义和团一役以后，西洋势力益膨胀于中国，士人之研究西学者日益众，翻译西书者亦日益多，而哲学、伦理、政治诸说，皆异于旧有之学术。于是概称此种书籍曰‘新学’，而称固有之学术曰‘旧学’矣。另一方面，不屑以旧学之名称我固有之学术，于是有发行杂志，名之曰《国粹学报》，以与西来之学术相抗。‘国粹’之名随之而起。继则有识之士，以为中国固有之学术，未必尽为精粹也，于是将‘保存国粹’之称，改为‘整理国故’，研究此项学术者称为‘国故学’……”从“旧学”到“国故学”，再到“国学”，名称的改变意味着褒贬的不同，反映出身处内忧外患之中的近代诸多有识之士对中国优秀传统文化失落的忧思和希望民族振兴的宏大志愿。

从学术的角度看，国学的文献载体是经、史、了、集。崇文书局的这一套国学经典普及文库，就是从传统的经、史、子、集中精选出来的。属于经部的，如《诗经》《论语》《孟子》《周易》《大学》《中庸》《左传》；属于史部的，如《战国策》《史记》《三国志》《贞观政要》《资治通鉴》；属于子部的，如《道德经》《庄子》《孙子兵法》《鬼谷子》《世说新语》《颜氏家训》《容斋随笔》《本草纲目》《阅微草堂笔记》；属于集部的，如《楚辞》《唐诗三百首》《豪放词》《婉约词》《宋词三百首》《千家诗》《元曲三百首》《随园诗话》。这套书内容丰富，而分量适中。一个希望对中国优秀传统文化有所了解的人，读了这些书，一般说来，犯常识性错误的可能性就很小了。

崇文书局之所以出版这套国学经典普及文库，不只是为了普及国学常识，更重要的目的是，希望有助于国民素质的提高。在国学教育中，有一种倾向需要警惕，即把中国优秀的传统文化“博物馆化”。“博物馆化”是20世纪中叶美国学者列文森在《儒教中国及其现代命运》中提出的一个术语。列文森认为，中国传统文化在很多方面已经被博物馆化了。虽然中国传统的经典依然有人阅读，但这已不属于他们了。“不属于他们”的意思是说，这些东西没有生命力，在社会上没有起到提升我们生活品格的作用。很多人阅读古代经典，就像参观埃及文物一样。考古发掘出来的珍贵文物，和我们的生命没有多大的关系，和我们的生活没有多大关系，这就叫作博物馆化。“博物馆化”的国学经典是没有现实生命力的。要让国学经典恢复生命力，有效的方法是使之成为生活的一部分。崇文书局之所以强调普及，深意在此，期待读者在阅读这些经典时，努力用经典来指导自己的内外生活，努力做一个有高尚的人格境界的人。

国学经典的普及，既是当下国民教育的需要，也是中华民族健康发展的需要。章太炎曾指出，了解本民族文化的过程就是一个接受爱国主义教育的过程："仆以为民族主义如稼穑然，要以史籍所载人物制度、地理风俗之类为之灌溉，则蔚然以兴矣。不然，徒知主义之可贵，而不知民族之可爱，吾恐其渐就萎黄也。"(《答铁铮》)优秀的传统文化中，那些与维护民族的生存、发展和社会进步密切相关的思想、感情，构成了一个民族的核心价值观。我们经常表彰"中国的脊梁"，一个毋庸置疑的事实是，近代以前，"中国的脊梁"都是在传统的国学经典的熏陶下成长起来的。所以，读崇文书局的这一套国学经典普及读本，虽然不必正襟危坐，也不必总是花大块的时间，更不必像备考那样一字一句锱铢必较，但保持一种敬重的心态是完全必要的。

期待读者诸君喜欢这套书，期待读者诸君与这套书成为形影相随的朋友。

陈文新

（教育部长江学者特聘教授，武汉大学杰出教授）

前言

《阅微草堂笔记》是清代纪昀（字晓岚，1724—1805）撰写的笔记小说，共二十四卷，计一千一百余则。纪昀二十四岁中举人，三十一岁成进士，官至礼部尚书、协办大学士，并任《四库全书》总纂官。其晚年主要精力放在《四库全书》的编纂上，而《阅微草堂笔记》则是他个人留给后人的最重要的作品。

纪昀生活在清王朝国力鼎盛的"乾嘉时代"，他身居高位，能透过"盛世"的外表，以"说狐道怪"的形式揭露社会矛盾的尖锐和人性的阴暗面，举凡官吏的贪婪、小人的奸诈、道学家的虚伪、流氓无赖的可恶、平民百姓的生计艰难等，在书中都有较充分的展现。作者精妙的评点议论，更使作品具有惩恶扬善的"劝世"作用。但由于故事来源很广泛，作品难免精粗杂陈，良莠互见。而在当时统治者严厉的思想钳制政策下，作者也只能"托鬼神以抒己见"，再加上封建社会迷信思想浓厚，科学知识贫乏，因而这类狐鬼故事使人半信半疑，客观上具有"愚民"的负作用。但如果剥去狐鬼的外衣，体察作者"意在言外"的良苦用心，仔细琢磨每一则故事的思想深意，就会感觉《阅微草堂笔记》确实是一部难得的笔记小说作品，其在中国文学史上应占据突出显要的地位。

《阅微草堂笔记》在当时凭借作者的特殊地位和作品本身轻松隽永的文笔，每撰成一卷，即在士大夫中广为传抄，书商亦竟相翻刻牟利，使之成为当时颇为流行的小说之一。时至今日，仍然拥有广泛的读者。我们选编的这个本子，系从原书一千余则故事中选取具有代表性的九十余则，并考虑到青少年读者的阅读理解需求，采用原文与白话文翻译对照的形式。不当之处，敬祈指正。

contents

目录

邻叟驯猪

【原文】

胡御史牧亭言:其里有人畜一猪,见邻叟,辄瞋目狂吼,奔突欲噬,见他人则否。邻叟初甚怒之,欲买而啖其肉。既而憬然省曰:“此殆佛经所谓夙冤耶?世无不可解之冤。”乃以善价赎得,送佛寺为长生猪。后再见之,弭耳昵就,非复曩态矣。

尝见孙重画伏虎应真,有巴西李衍题曰:“至人骑猛虎,驭之犹骐骥。岂伊本驯良?道力消其鸷。乃知天地间,有情皆可契。共保金石心,无为多畏忌。”可为此事作解也。

【译文】

据御史胡牧亭说:他老家有人养了一头猪,见了邻居老翁便瞪着眼睛发怒,猛奔过去咬他,见到别的人却不会这样。最初,邻翁很生气，想把猪买下杀了吃掉，以解心头之恨。不久忽然醒悟道：“这莫非就是佛经中所说的宿冤吗？人世间没有解不开的怨仇。”老翁便出好价钱把猪买下来，送到佛寺中，作为“长生猪”养起来。从此，猪见到老翁，就俯下耳朵亲近他，不像往日那凶恶的样子了。

我曾见过孙重画的伏虎图，巴西人李衍题诗曰：“至人骑猛虎，驭之犹麒麟。岂伊本驯良？道力消其骜。乃知天地间，有情皆可契。其保金石心，无为多畏忌。”这首诗即可作为对这个故事的解释。

老学究

【原文】

爱堂先生言：闻有老学究夜行，忽遇其亡友。学究素刚直，亦不怖畏，问："君何往？"曰："吾为冥吏，至南村有所勾摄，适同路耳。"因并行。至一破屋，鬼曰："此文士庐也。"问："何以知之？"曰："凡人白昼营营，性灵汩没。唯睡时一念不生，元神朗澈。胸中所读之书，字字皆吐光芒，自百窍而出。其状缥缈缤纷，烂如锦绣。学如郑、孔，文如屈、宋、班、马者，上烛霄汉，与星月争辉。次者数丈，次者数尺，以渐而差。极下者亦荧荧如一灯，照映户牖，人不能见，唯鬼神见之耳。此室上光芒高七八尺，以是而知。"学究问："我读书一生，睡中光芒当几许？"鬼嗫嚅良久，曰："昨过君塾，君方昼寝。见君胸中高头讲章一部，墨卷五六百

篇，经文七八十篇，策略三四十篇，字字化为黑烟，笼罩屋上。诸生诵读之声，如在浓云密雾中，实未见光芒，不敢妄语。”学究怒叱之。鬼大笑而去。

【译文】

据爱堂先生说：有一位老学究夜间赶路，忽然遇到他死去的朋友。老学究平素性情刚直，也不畏惧，便问亡友到哪里去。亡友说：“我现为阴间差役，到南村去勾摄当死之人的魂魄，正好与你同路罢了。”于是二人同行，到了间破屋前，鬼友说：“这是文人的屋子。”老学究问：“你怎么知道？”鬼友说：“一般的人在白天为生计忙碌，致使本性被淹没，只有在夜间睡下，什么也不去想，其本性才能明澈清朗，所读过的书，字字都在心头放射出光芒，透过人的孔窍照射出来。其形状缥缥缈缈，缤纷灿烂如锦绣。学问像郑玄、孔颖达，文章像屈原、宋玉、班超、司马迁的人，所发出的光芒，上可直冲霄汉，与星辰、月亮争辉。文才不如他们的，其光芒只有几丈，再次者只有几尺，依次而减。最次者，也有一点光，但荧荧如一盏油灯，只能照见自家的门窗。这种光，人是见不到的，只有鬼神能见到。这间房顶上的光芒高约七八尺，我所以知道。”老学究问：“我读了一辈子的经书，睡后光芒能有多高？”鬼友沉吟良久，说：“昨天到你的私塾，你正在昼寝。见你的胸中，有高头讲章一部，五六百篇墨卷，七八十篇经文，三四十篇策略，字字化作一团黑烟，笼罩在你的屋顶上空。学生的诵读声，如在浓重的云雾之中，实未见到半点光芒，我可不敢说假话。”老学究听了，怒斥鬼友，鬼友大笑而去。

无赖吕四

【原文】

沧州城南上河涯，有无赖吕四，凶横无所不为，人畏如狼虎。一日薄暮，与诸恶少村外纳凉。忽隐隐闻雷声，风雨且至。遥见似一少妇，避入河干古庙中。吕语诸恶少曰："彼可淫也。"时已入夜，阴云暗黑。吕突入，掩其口，众共褫衣相嬲。

俄电光穿牖，见状貌似是其妻。急释手问之，果不谬。吕大恚，欲提妻掷河中。妻大号曰："汝欲淫人，致人淫我，天理昭然，汝尚欲杀我耶！"吕语塞。急觅衣裤，已随风吹入河流矣。旁皇无计，乃自负裸妇归。云散月明，满村哗笑，争前问状。吕无可置对，竟自投于河。盖其妻归宁，约一月方归。不虞母家遘回禄，无屋可栖，乃先期返。吕不知，而遘此难。

后妻梦吕来曰："我业重，当永堕泥犁。缘生前事母尚尽孝，冥官检籍，得受蛇身，今往生矣。汝后夫不久至，善事新姑嫜。阴律不孝罪至重，毋自蹈冥司汤镬也。"至妻再醮日，屋角有赤练蛇，垂首下视，意似眷眷。妻忆前梦，方举首问之，俄闻门外鼓乐声，蛇于屋上跳掷数四，奋然去。

【译文】

沧州城南的上河涯，有一个叫吕四的无赖。他横行霸道，无恶不作，人们像害怕虎狼一样怕他。一天黄昏，他与几个恶少在村外乘凉，忽然传来隐隐的雷声，风雨即刻将至。他远远地望见好像有一位少妇，避到岸边的古庙里去了。吕四对其他恶少说："那个女人可以玩玩。"这时天已黑下来，阴云密布，天地昏黑。吕四冲进去，将那女人的嘴捂住，其他几个恶少扒掉女人的衣服，轮奸了她。

不一会儿，一道电光穿窗而过，吕四借着电光，见这女人容貌好像自己的妻子。他急忙放手，一问果然不错。吕四大怒，要将妻子扔到河里。其妻大声哭喊道："你想玩弄别人家的女人，结果反让别人侮辱了我，这是天理昭然，你还要杀我！"吕四张口结舌，无话可说，急忙找衣服，却早被风吹到河里去了。吕四没法，只好把光着身子的妻子背回家中。这时，阴云散去，明亮的月光照着大地。全村人听了这事，都觉得可笑，争先恐后前来询问原委。吕四无以答对，羞愧难当，竟投河自尽了。原来他妻子回娘家，二人约定一个月才回来。不料娘家遭了火灾，没地方住，妻子便提前回家来。吕四不知这种情况，结果弄出了这桩事。

后来，吕四的妻子梦见吕四托梦说："我罪孽深重，应该永堕地狱，只因我生时对老母尽孝，冥府官吏查核籍册，我得以转世为蛇身，今天就去托生了。你的后夫不久就到了，你要好好地对待你的新公婆。阴间对不孝的人处罚很重，不要因此死后在阴司下油锅。"吕四的妻子再嫁的那一天，见他家的屋角上有条赤练蛇，垂头向下寻视，颇有眷恋之情。吕四的妻子回想梦中的事，刚要抬头问，突然听得门外鼓乐喧天，那条赤练蛇在屋上蹦跳了几次，就一溜烟似地离开了。

周虎

【原文】

献县周氏仆周虎，为狐所媚，二十余年如伉俪。尝语仆曰："吾炼形已四百余年，过去生中，于汝有业缘当补；一日不满，即一日不得升天。缘尽，吾当去耳。"一日，辗然自喜，又泫然自悲，语虎曰："月之十九日，吾缘尽当别。已为君相一妇，可聘定之。"因出白金付虎，俾备礼。自是狎昵燕婉，逾于平日，恒形影不离。至十五日，忽晨起告别。虎怪其先期，狐泣曰："业缘一日不可减，亦一日不可增，惟迟早则随所遇耳。吾留此三日缘，为再一相会地也。"越数年，果再至，欢洽三日而后去。临行呜咽曰："从此终天诀矣！"

陈德音先生曰："此狐善留其有余，惜福者当如是。"刘季箴则曰："三日后终须一别，何必暂留？此狐炼形四百年，尚未到悬崖撒手地位。

临事者不当如是。”余谓二公之言，各明一义，各有当也。

【译文】

河北献县周家的仆人周虎被狐狸迷住了，如世间美满的夫妻一样，在一起生活了二十多年。狐狸曾对周虎说：“我修炼成人形，已有四百多年了，前生我与你还有一段相处的时间，是当补上的。天意所使，一天不满，都不能升天。一旦缘分已尽，我自会离去。”一天，她脸上显出很高兴的样子，忽而又泫然泪下，显出很伤心的样子，对周虎说：“这一月的十九日，我们的缘分已尽，我将要离开你。我已为你相中了一个配偶，你可送彩礼将这门婚事定下来。”于是拿出白金交给周虎，以备聘礼使用。从此与周虎缠绵亲昵，更加恩爱，时刻形影不离。十五日早晨，早起与周虎告别。周虎责怪她怎么提前离开，狐狸流着泪说：“所谓的缘分，是一日不可减，也一日不可增。只是早晚可由自己安排。我想在世间留下三天的缘分，以后好再与你相见。”过了几年，狐狸果然又来与周虎相见，欢聚三天后离去。临行前，她哭着说：“从此，我们就永远分手了。”

陈德音先生说：“这只狐狸善于留有余地，珍惜自己幸福的人，也应该如此。”刘季箴则说：“三天后终究要分别，既然这样，何必再留下三天呢？此狐炼形已四百年，还没有到悬崖撒手的地步。处理事情不应该这样。”我认为二公所言，都说明了一个道理，也各有各的道理。

郑苏仙

【原文】

北村郑苏仙，一日梦至冥府，见阎罗王方录囚。有邻村一媪至殿前，王改容拱手，赐以杯茗，命冥吏速送生善处。郑私叩冥吏曰："此农家老妇，有何功德？"冥吏曰："是媪一生无利己损人心。夫利己之心，虽贤士大夫或不免。然利己者必损人，种种机械，因是而生，种种冤愆，因是而造。甚至贻臭万年，流毒四海，皆此一念为害也。此一村妇，而能自制其私心，读书讲学之儒，对之多愧色矣。何怪王之加礼乎？"郑素有心计，闻之惕然而寤。

郑又言：此媪未至以前，有一官公服昂然入，自称所至但饮一杯水，今无愧鬼神。王哂曰："设官以治民，下至驿丞闸官，皆有利弊之当理。但不要钱即为好官，植木偶于堂，并水不饮，不更胜公乎？"官又辩曰："某虽无功，亦无罪。"王曰："公一生处处求自全，某狱某狱，避嫌疑而不言，非负民乎？某事某事，畏烦重而不举，非负国乎？三载考绩之谓何？无功即有罪矣。"官大踧踖，锋棱顿减。王徐顾笑曰：

“怪公盛气耳。平心而论，要是三四等好官，来生尚不失冠带。”促命即送转轮王。

观此二事，知人心微暖，鬼神皆得而窥。虽贤者一念之私，亦不免于责备。“相在尔室”，其信然乎。

【译文】

北村的郑苏仙，一天做梦到了阴曹地府，见阎王正在审查囚徒的罪状。一位邻村的老太太来到殿前，阎王脸色温和地对老太太拱手作礼，赐给老太太一杯茶，然后让手下的差役赶快送她到一个好的地方投生。郑苏仙私下问差役：“这是一位普通的农妇，她有什么功德？”差役说：“这位老太太一生无损人利己之心。利己之心，即使是贤明之士、做官之人都难免。有利己之心的人，必做损人之事，于是种种机诈手段随之而生，这样就必然造下种种冤孽，甚至为了个人的野心，遗臭万年，流毒四海，都是因私心在为害啊！这位农妇能自己制约其私心，连那些读书达理有学问的人，在她面前都有愧色。阎王对她敬之以礼，有什么可奇怪的呢？”郑苏仙平日就是一个很有心计的人，听了这番话，不禁心中有所醒悟。

郑苏仙又说，这位老太太未到来之前，有一位身穿官服、盛气凌人的人走进大殿，自称他所到之处只饮别人一杯水，因此面对鬼神，自觉心中无愧。阎王轻蔑地说：“朝廷设置官员用来治理百姓，即使最低一级的驿官、闸官都有自己应尽的职责，仅仅只以自己不取民财就是好官，那么把一个木偶放在堂上，他连一杯水都不喝，不是更胜过你吗？”这位官员辩解说：“我虽说无功，但也无过。”阎王说：“你一生不论干什么，处处都考虑保全自己，某案某案，为了避免嫌疑，你一言不发，这不是辜负了百姓吗？某事某事，你怕责任重大不去做，这不是有负于国家对你的重用吗？《尚书·舜典》中‘三载考绩’是怎么说的？没有功劳者，即为有罪。”听罢，这位官员锋芒顿时大减。阎王慢慢转过头笑着说：“只怪你平生为事盛气凌人。平心而论，你也算得上个三四等的好官，来生也不失为仕途中人。”即命下属把这位官员送往转轮王。

通过这两件事，可知世人若有一点心思变化，鬼神都能知道。即使是好人，若有一念之私，也免不了受到责备。所谓“鬼神无处不在”，这话是确信无疑的。

无云和尚

【原文】

无云和尚，不知何许人。康熙中，挂单河间资胜寺，终日默坐，与语亦不答。一日，忽登禅床，以界尺拍案一声，泊然化去。视案上有偈曰："削发辞家净六尘，自家且了自家身。仁民爱物无穷事，原有周公孔圣人。"佛法近墨，此僧乃近于杨。

【译文】

有个叫无云的和尚，不知他的来历。康熙年间，他在河间资胜寺暂住，整天默默地坐着，也不与别人答话。一天，忽然登上禅床，用界尺拍打了一下几案，便静静地坐化了。看到几案上留下他一首偈语："削发辞家净六尘，自家且了自家身。仁民爱物无穷事，原有周公孔圣人。"佛家主张近于墨子，而这位无云和尚却接近杨朱。

戏术

【原文】

戏术，皆手法捷耳，然亦实有般运术。忆小时在外祖雪峰先生家，一术士置杯酒于案，举掌拍之，杯陷入案中，口与案平。然扪案下，不见杯底。少选取出，案如故。此或障目法也。又举鱼脍一巨碗，抛掷空中不见。令其取回，则曰："不能矣。在书室画厨夹屉中，公等自取耳。"时以宾从杂沓，书室多古器，已严扃；且夹屉高仅二寸，碗高三四寸许，断不可入，疑其妄。姑呼钥启视，则碗置案上，换贮佛手五。原贮佛手之盘，乃换贮鱼脍藏夹屉中。是非般运术乎？理所必无，事所或有，类如此，然实亦理之所有。狐怪山魈，盗取人物不为异，能劾禁狐怪山魈者亦不为异。既能劾禁，即可以役使；既能盗取人物，即可以代人盗取物。夫又何异焉？

【译文】

魔术戏法之类，大都是以手法快捷取胜，然而也真有搬运术的存在。记得小时候在外祖雪峰先生家，见一个术士将一酒杯放在桌上，举手将酒杯一按，酒杯就深陷在桌子里，杯口与桌面平齐。然而用手摸摸桌子下面，并没有杯底。过一会儿，将杯子拿出来，桌面还是原样。这可能用的是一种障眼法。术士又用手举起一大碗切细的鱼肉，向空中一抛就不见了。叫他将鱼肉取回来，他说："取不回来了，鱼肉在书房画橱的抽屉里，你们自己去取吧。"当时在场的宾客很多，书屋中有许多古玩器，严严实实地锁着，并且画橱的抽屉不过二寸高，而大碗却高三四寸，是断然放不进去的，因此怀疑玩魔术的人胡说。于是喊人取钥匙开锁查看，发现那个大碗放在桌子上，碗里装了五个佛手。原先装佛手的盘子，换装了鱼肉，放在抽屉里。这不是搬运术吗？从理论上讲不存在什么搬运术，但事实上却是存在的，如上面所讲的这个故事。不过按理推之也讲得通。狐仙山怪盗取人的东西，人们不以为怪，术士能克制狐仙山怪，人们也不以为怪。既然能克制狐仙山怪，当然也能役使狐仙山怪；狐仙山怪既然能偷盗人们的东西，那么也能被人役使去偷东西。术士所为又有什么可奇怪的呢？

马　语

【原文】

交河老儒及润础，雍正乙卯乡试。晚至石门桥，客舍皆满，唯一小屋，窗临马枥，无肯居者，姑解装焉。群马跳踉，夜不得寐。人静后，忽闻马语。及爱观杂书，先记宋人说部中有堰下牛语事，知非鬼魅，屏息听之。一马曰："今日方知忍饥之苦。生前所欺隐草豆钱，竟在何处？"一马曰："我辈多由圉人转生，死者方知，生者不悟，可为太息。"众马皆呜咽。一马曰："冥判亦不甚公，王五何以得为犬？"一马曰："冥卒曾言之，渠一妻二女并淫滥，尽盗其钱与所欢，当罪之半矣。"一马曰："信然。罪有轻重，姜七堕豕身，受屠割，更我辈不若也。"及忽轻嗽，语遂寂。及恒举以戒圉人。

【译文】

交河县老儒生及润础，雍正十三年参加乡试。晚上走到石门桥投宿，旅舍都客满了，只有一间小屋，因窗户挨近马棚，没有人肯住。及润础没法，只好勉强住下。马棚里的马很不安分，弄得及润础夜里不能安睡。夜深人静时，忽听马在说话。及润础素有爱看闲书的癖好，记得先前看过宋人所写的小说中，记载有堰下牛语的事，知道这不是鬼魅作怪，便屏息窃听。一匹马说：“今天才知忍饥挨饿不好受，生前克扣的草料钱，也不知弄到什么地方去了？”另一匹马说：“我们多是由养马人转生的，死后才知道，生时却不醒悟，实在可叹。”群马呜咽哭泣。一匹马说：“阴司的判决也不很公平，王五怎么会转生为狗？”另一匹马又说：“阴司卒隶曾说过，他的妻子与两个女儿，都不是正经东西，他们都偷钱送给自己相好的人，所以他的罪过只有一半属于他。”又有一匹马说：“实际情况也就是这样，罪过也有轻重之分。姜七堕落转生为猪，身受宰割之苦，还不如我们呢。”及润础忽然轻轻咳嗽了一声，马就不再对话了。及润础后来经常用这个例子来规劝养马人。

和尚先知先觉

【原文】

范蘅洲言：昔渡钱塘江，有一僧附舟，径置坐具，倚樯竿，不相问讯。与之语，口漫应，目视他处，神意殊不属。蘅洲怪其傲，亦不再言。时西风过急，蘅洲偶得二句，曰："白浪簸船头，行人怯石尤。"下联未属，吟哦数四。僧忽闭目微吟曰："如何红袖女，尚倚最高楼？"蘅洲不省所云，再与语，仍不答。比系缆，恰一少女立楼上，正著红袖，乃大惊。再三致诘，曰："偶望见耳。"然烟水渺茫，庐舍遮映，实无望见理，疑其前知。欲作礼，则已振锡去。蘅洲惘然莫测，曰："此又一骆宾王矣！"

【译文】

据范蘅洲说：从前渡钱塘江，有一个和尚和他一同搭船，把坐具放在船上，倚着桅杆，也不与其他人打招呼。别人与他说话，只是口中随便应答而已，眼睛却望着别的地方，一副心不在焉的样子。范蘅洲觉得和尚太傲慢，也不再与他答话。当时西风很大，范蘅洲诗兴大发，就偶成两句："白浪簸船头，行人怯石尤。"下联的两句还未构思妥帖，只好三番五次地吟咏上联两句。和尚忽然闭上眼睛，轻声地吟道："如何红袖女，尚倚最高楼？”范蘅洲不知其所云。又与和尚说话，和尚仍然不回答。待船到岸边系缆绳的时候，见一位少女站在岸边的楼上，正穿着红衣。范蘅洲大惊，再三向和尚请问。和尚说：“我偶然望见罢了。”然而当时船在江中，烟波浩渺，庐舍遮挡，和尚根本没有望见对岸的景物的可能。范蘅洲怀疑和尚有先知先觉的功能，正要向他致意敬礼，但和尚却已拄着锡杖走了。范蘅洲怅然地说：“这又是一个骆宾王！”

菜人

【原文】

景城西偏，有数荒冢，将平矣。小时过之，老仆施祥指曰："是即周某子孙，以一善延三世者也。"盖前明崇祯末，河南、山东大旱蝗，草根木皮皆尽。乃以人为粮，官吏弗能禁。妇女幼孩，反接鬻于市，谓之菜人。屠者买去，如刲羊豕。周氏之祖，自东昌商贩归，至肆午餐。屠者曰："肉尽，请少待。"俄见曳二女子入厨下，呼曰："客待久，可先取一蹄来。"急出止之。闻长号一声，则一女已生断右臂，宛转地上。一女战栗无人色。见周，并哀呼，一求速死，一求救。周恻然心动，并出资赎之。一无生理，急刺其心死。一携归。因无子，纳为妾。竟生一男，右臂有红丝，自腋下绕肩胛，宛然断臂女也。后传三世乃绝。皆言周本无子，此三世乃一善所延云。

【译文】

景城西郊有几座荒坟，几乎与地面一样平了。小时候路过此地，老仆人施祥指着荒坟对我说："这儿埋的是周某的子孙，因为他做了一

件善事，延嗣了三代子孙。”大概是在明代崇祯末年，河南、山东连遭旱灾、虫灾，连树皮草根也吃光了，人们不得不以人肉为粮食，官吏也不能禁止。妇女小孩被反绑着到市场去卖，称之为菜人。屠户买去，像宰杀猪羊一样。周某的祖上从东昌做生意回来，在一个酒店吃饭。屠夫说：“客官，肉没了，请稍等。”一会儿，只见他拉了两个女子进了厨房，招呼道：“客人久等了，赶快先砍个蹄膀来。”周某的祖上急忙出来阻止，只听一声长哭，一个女子的右臂已落地，疼得在地上打滚。另一个吓得浑身发抖面无人色。见了周某祖上，两人一起哀叫，一个求屠夫赶紧杀了自己，一个求救命。周某的祖上痛心不已，心怀善意，出钱赎回了两个女子。断臂女子救不活了，用刀刺其心让其速死。另一个带回去，自己又没儿子，于是收她为妾。这个妾为他生了个儿子，右臂上有根红线，从腋下绕至肩上，好像断臂女子。从此周氏传了三代香火。人们都说，周某的祖上命中注定本来不会有儿子，却因为做了件大善事而传了三代人。

青县贞妇

【原文】

青县农家少妇，性轻佻。随其夫操作，形影不离。恒相对嬉笑，不避忌人。或夏夜并宿瓜圃中，皆薄其冶荡。然对他人，则面如寒铁。或私挑之，必峻拒。后遇劫盗，身受七刃，犹诟詈，卒不污而死。又皆惊其贞烈。老儒刘君琢曰：“此所谓质美而未学也。惟笃于夫妇，故矢死不二。惟不知礼法，故情欲之感，介于仪容；燕昵之私，形于动静。”辛彤甫先生曰：“程子有言：‘凡避嫌者，皆中不足。’此妇中无他肠，故坦然径行不自疑。此其所以能守死也。彼好立崖岸者，吾见之矣。”先姚安公曰：“刘君正论，辛君有激之言也。”后其夫夜守豆田，独宿团焦中。忽见妇来，燕婉如平日，曰：“冥官以我贞烈，判来生中乙榜，官县令。我念君，不欲往。乞辞官禄为游魂，长得随君。冥官哀我，许之矣。”夫为感泣，誓不他偶。自是昼隐夜来，几二十载，儿童或亦窥见之。此康熙末年事，姚安公能举其姓名居址，今忘矣。

【译文】

青县一农家少妇，性格轻佻风流，与丈夫总是形影不离，丈夫去干活，她跟着去。两人嬉笑取乐，旁若无人，有时候夏夜就睡在瓜园里不回家。人们都有点看不起她，指责她风骚、淫荡。但她对别的男人，却冷若冰霜，有人挑逗她，她必定严厉拒绝。后来她遇到强盗，身上受了七处刀伤，仍大骂不止，保住了贞洁死去。于是，人们又惊叹她的贞烈。老先生刘君琢说："这就是所谓的本质美而缺乏培养。正由于忠于丈夫，才有如此誓死不从奸之情，而又由于不知礼法，所以情感欲望表现在脸上，夫妇间的亲昵也体现于行动上。"辛彤甫先生说："二程先生说，凡是避嫌疑的人，内心都有欠缺。这位女人心中没有别的想法，所以坦然随心所欲无所顾忌。这就是她守节而死的原因。那些喜欢标榜、道貌岸然的人我见得多了。"先父姚安公说："刘君的看法较为公正，辛君的看法有点偏激。"后来，这个农家妇女的丈夫在夜里看守豆田，独自睡在草屋里，忽然见妻子来，两人还像以前一样欢洽。她说："阴间的官员看我贞烈，判我来生中举，当县令。我想念你，不想去，请求做一个自由自在的游魂，能长年陪伴你。那官员同情我，答应了。"丈夫感动得流泪，发誓不再娶妻。从此，她白天离去晚上又来，持续了将近二十年。有的孩子曾偷偷地看到过她。这是康熙末年的事，姚安公说起过他的姓名地址，如今忘掉了。

方桂

【原文】

方桂，乌鲁木齐流人子也。言尝牧马山中，一马忽逸去。蹑踪往觅，隔岭闻嘶声甚厉。寻声至一幽谷，见数物，似人似兽。周身鳞皴斑驳如古松，发蓬蓬如羽葆，目睛突出，色纯白，如嵌二鸡卵，共按马生啮其肉。牧人多携铳自防，桂故顽劣，因升树放铳。物悉入深林去，马已半躯被啖矣。后不再见，迄不知为何物也。

【译文】

方桂是乌鲁木齐流民的儿子。他说一次在山中牧马，有匹马突然跑了。他跟踪追寻，听到马嘶声从山那边传来，声音十分凄厉。寻声到了一个山谷，看见有几个似人非人、似兽非兽的怪物，全身生鳞，班驳像古松的皮，头发乱蓬蓬，像羽毛做的车盖，眼睛凸起，纯白色，好像眼眶里装了两个鸡蛋。这几个怪物一齐强按住马生吃其肉。牧马人一般都带着火铳防身，方桂原来比较顽劣，于是爬上树举铳射击，怪物都逃入深林中去了，马身子已被吃掉了一半。后来再也没有看见这种怪物，至今也不知是什么东西。

药　帖

【原文】

内阁学士永公，讳宁，婴疾，颇委顿。延医诊视，未遽愈。改延一医，索前医所用药帖，弗得。公以为小婢误置他处，责使搜索，云不得且笞汝。方倚枕憩息，恍惚有人跪灯下曰："公勿笞婢，此药帖小人所藏。小人即公为臬司时平反得生之囚也。"问："藏药帖何意？"曰："医家同类皆相忌，务改前医之方，以见所长。公所服药不误，特初试一剂，力尚未至耳。使后医见方，必相反以立异，则公殆矣。所以小人阴窃之。"公方昏闷，亦未思及其为鬼。稍顷始悟，悚然汗下。乃称前方已失，不复记忆，请后医别疏方。视所用药，则仍前医方也。因连进数剂，病霍然如失。公镇乌鲁木齐日，亲为余言之，曰："此鬼可谓谙悉世情矣。"

【译文】

内阁学士永宁为病所累，精神萎靡不振。请大夫诊治，一时之间也未痊愈。改请一医，这个医生索要前一位医生开的药方，没有找到。永公以为小婢放错了地方，叫她仔细找找，并威胁她如找不到就要鞭打她。永公正靠着枕头休息，朦胧中见有个人跪在灯下说："您不要打她，药方是小人藏起来的，小人就是您任按察使时被您救出的囚犯。"永公问："你藏药方干什么？"回答道："医家同行相妒，他一定改前一个医生的药方，以显示自家的高明。您服的药没错，只是刚服一剂，药力还没发挥出来，若叫后一个医生见了药方，他一定反用一个医生的药方来显示自己的不同，那您就危险了。所以，小人偷了药方。"永公昏昏沉沉也没想到对方是鬼。过了一会儿才猛醒过来，惊出一身冷汗。于是他说前一个医生的药方已经丢失，记不起了，请后一医生另开药方。看这个医生所用的药，与前一个医用的一样。于是，连服了几剂，病很快好了。永宁镇守乌鲁木齐时，亲自给我讲了这事，说："这个鬼真的懂得人情世故啊。"

仆人报怨

【原文】

史松涛先生，讳茂，华州人，官至太常寺卿，与先姚安公为契友。余十四五时，忆其与先姚安公谈一事曰：某公尝棰杀一干仆。后附一痴婢，与某公辩曰："奴舞弊当死，然主人杀奴，奴实不甘。主人高爵厚禄，不过于奴之受恩乎？卖官鬻爵，积金至巨万，不过于奴之受赂乎？某事某事，颠倒是非，出入生死，不过于奴之窃弄权柄乎？主人可负国，奈何责奴负主人？主人杀奴，奴实不甘！"某公怒而击之，仆犹呜呜不已。后某公亦不令终。因叹曰："吾曹断断不至是。然旅进旅退，坐食俸钱，而每责童婢不事事，毋乃亦腹诽矣乎？"

【译文】

史松涛先生，名茂，华州人，官至太常寺卿，与先父姚安公交情颇深。我十四五岁时，记得他与先父谈到一件事，说某公曾打死了一个很能干的仆人，后来，这个仆人附在一个呆痴的婢女身上，和某公辩论："我营私舞弊，罪当该死，但你杀我，实不心甘。如今你高官厚禄，所受的恩惠不是超过我了么？你卖官鬻爵，积累家财巨万，不是远远超过我受的贿赂吗？某件事情，你颠倒是非，混淆生死，不是超过我的玩弄权术吗？你可以负国，为何责备我负你？"某公大怒，把婢女打倒在地，她嘴里仍骂个不停。后来某公也不得善终。于是史松涛叹道："我们绝对不会到这步田地，不过我等和众人一样随波逐流，坐享俸禄，却常责备奴仆们不干活，他们岂不也在心里怨我们么？"

荔姐

【原文】

满媪，余弟乳母也，有女曰荔姐，嫁为近村民家妻。一日，闻母病，不及待婿同行，遽狼狈而来。时已入夜，缺月微明，顾见一人追之急，度是强暴，而旷野无可呼救。乃隐身古冢白杨下，纳簪珥怀中，解绦系颈，披发吐舌，瞪目直视以待。其人将近，反招之坐。及逼视，知为缢鬼，惊仆不起。荔姐竟狂奔得免。比入门，举家大骇。徐问得实，且怒且笑，方议向邻里追问。次日，喧传某家少年遇鬼中恶，其鬼今尚随之，已发狂谵语。后医药符箓皆无验，竟颠痫终身。此或由恐怖之余，邪魅乘机而中之，未可知也。或一切幻象，由心而造，未可知也。或明神殛恶，阴夺其魄，亦未可知也。然均可为狂且戒。

【译文】

满媪，是我弟弟的奶妈，她有个女儿叫荔姐，嫁到近村民家为妻。一天，听说母亲病了，等不及和丈夫同来，就赶紧一个人来了。当时天已经黑了，残月的微光中，她回头看见一个人在后边追她。她估计是强盗暴徒，而旷野中又喊不到人救命。于是躲在古坟的白杨树下，把首饰等放进怀里，解下带子系在脖子上，弄散头发，吐出舌头直愣愣瞪着眼等着。那个人追上来了，她反而招呼他坐下。那人就近一看，是个吊死鬼，吓得站不起来。于是荔姐得以狂奔逃了回来。待进了门，全家大惊。慢慢问知了实情，又怒又笑，商量向邻居打听那人是谁。第二天，人们纷纷传说某家的少年遇鬼中了邪，鬼至今还附在他身上，已经发疯，胡言乱语。后来看医吃药，请道士术士都不管用，竟然患了终生癫痫病。这可能是受了惊吓之后，鬼魅乘机制住了他。或者是他所见到的一切幻象都是他想象出来的。也可能是神灵惩罚他，暗夺了他的魂魄。然而这些都可让那些轻薄少年引以为戒。

僧诈

【原文】

景城南有破寺，四无居人。唯一僧携二弟子司香火，皆蠢蠢如村佣，见人不能为礼。然谲诈殊甚，阴市松脂炼为末，夜以纸卷燃火撒空中，焰光四射。望见趋问，则师弟键户酣寝，皆曰不知。又阴市戏场佛衣，作菩萨罗汉形，月夜或立屋脊，或隐映寺门树下。望见趋问，亦云无睹。或举所见语之，则合掌曰："佛在西天，到此破落寺院何为？官司方禁白莲教，与公无仇，何必造此语祸我？"人益信为佛示现，檀施日多。然寺日颓敝，不肯葺一瓦一椽，曰："此方人喜作蜚语，每言此寺多怪异。再一庄严，惑众者益藉口矣。"积十余年，渐致富。忽盗瞰其室，师弟并拷死，罄其资去。官检所遗囊箧，得松脂戏衣之类，始悟其奸。此前明崇祯末事。先高祖厚斋公曰："此僧以不蛊惑为

蛊惑，亦至巧矣。然蛊惑所得，适以自戕，虽谓之至拙可也。”

【译文】

景城南边有座破寺庙，附近无人住，只有一个和尚带着两个弟子管理寺庙，料理香火，但两弟子都像村里的佣人一样蠢，连见到施主行礼都不知道。但他们却十分狡诈，偷偷买来松脂，碾成粉末，夜里用纸卷起点着，撒向空中，于是，火光四射。见火的人都来询问，而师徒三人却插着门酣睡，都说不知道。又暗地买来唱戏的佛衣，扮作菩萨、罗汉，在月夜或站在屋脊上，或躲在寺门树下。看过的人来问他们见过没有，也说没看见。有人把所见告诉他们，三师徒便合掌说：“佛在西天，来这破庙做甚？官方正追查白莲教，我们与你无怨无仇，何必造这样的谣言来害我？”人们从此更加相信是真佛现身，所以施舍的人越来越多。然而寺庙日趋破落，而和尚又不肯整修。他们说：“这儿的人爱捕风捉影，总说这寺庙有些怪异，若再加整修，这些人更有借口了。”十多年后，师徒三人靠施舍渐渐致富。不料却招来了强盗，打死了师徒三人，抢走了所有的钱财。官府检查留下来的箱袋，发现了松脂、戏装等物，这才明白了和尚们的阴谋。这是明代崇祯末年的事。我的高祖厚斋公说：“这几个和尚用不承认迷惑的手法来迷惑他人，手法也够巧妙。但他们却因骗的钱财却害了自己，就算说他们很蠢，也未尝不可。”

魂随骨返

【原文】

何励庵先生言：十三四时，随父罢官还京师。人多舟狭，遂布席于巨箱上寝。夜分，觉有一掌扪之，其冷如冰，魇良久乃醒。后夜夜皆然。谓是神虚，服药亦无效，至登陆乃已。后知箱乃其仆物。仆母卒于官署，厝郊外。临行阴焚其柩，而以衣包骨匿箱中。当由人眠其上，魂不得安，故作是变怪也。然则旅魂随骨返，信有之矣。

【译文】

何励庵先生说：十三四岁时他随着父亲罢官回京。由于人多船窄，于是把席子铺在大箱子上睡觉。夜里觉得有一只手压住他，手掌冰凉，这样压了好久才醒来，以后夜夜如此。说是气虚，但吃过药也不管用，可是上了岸就好了。后来知道这个箱子是他的仆人的。仆人的母亲死在官署，暂放在郊外，临走时，仆人偷偷地把母亲灵柩烧了，用衣服包了遗骨，藏在箱子里。也许因为人睡在大箱子上，鬼魂不得安宁，所以做出这种怪异之事。照这样说，外乡的游魂能随遗骨回家的说法，确信是真的。

假雷击人

【原文】

雍正壬子六月，夜大雷雨，献县城西有村民为雷击。县令明公晟往验，饬棺殓矣。越半月余，忽拘一人，讯之曰："尔买火药何为？"曰："以取鸟。"诘曰："以铳击雀，少不过数钱，多至两许，足一日用矣。尔买二三十斤何也？"曰："备多日之用。"又诘曰："尔买火药未满一月，计所用不过一二斤，其余今贮何处？"其人词穷。刑鞫之，果得因奸谋杀状，与妇并伏法。

或问："何以知为此人？"曰："火药非数十斤不能伪为雷，合药必以硫黄。今方盛夏，非年节放爆竹时，买硫黄者可数。吾阴使人至市察买硫黄者谁多，皆曰某匠。又阴察某匠卖药于何人，皆曰某人。是以知之。"又问："何以知雷为伪作？"曰："雷击人自上而下，不裂地。其或毁屋，亦自上而下。今苫草屋梁皆飞起，土炕之面亦揭去，知火从下起矣。又此地去城五六里，雷电相同。是夜雷电虽迅烈，然皆盘绕云中，无下击之状。是以知之。尔时其妇先归宁，难以研问，故必先得是人，而后妇可鞫。"此令可谓明察矣。

【译文】

雍正十年六月的一个夜里雷雨交加,献县城西有一个村民被雷打死。县令明晟去查看了现场,命令把尸体装入棺材埋掉。半个月后,县令忽然抓来一个人问:“你买火药是何用意?”这人说:“用来打鸟。”县令诘问道:“用枪打鸟,火药少得不过用几钱,至多也不过一两就能用一天,你买二三十斤干什么?”这人说:“准备用许多天。”县令又说:“你买火药不到一月,算来用过的不过一二斤,其余的都放在哪里?”这人答不上来了。经过用刑审问,他交待了因奸谋杀的罪状,于是和奸妇一起伏法。

有人问:“怎么知道凶手是他?”县令说:“火药非几十斤不能伪装成雷击的效果,配药必用硫磺。如今正是盛夏,不是年末放爆竹之时,买硫磺的人可以数得过来。我暗中派人到市场查问谁买得最多,都说是某匠人。又暗查某匠人把药卖给了什么人,都说是某人,所以就知道是他了。”又问:“怎么知道雷打死的是假?”县令说:“雷击人,从上而下,地不裂。雷毁屋也是自上而下。如今苫草、屋梁都飞了起来,土炕面也揭了起来,可知火是从下面起来的。另外,这儿离城五六里,雷电应该一样,那天夜里雷电虽然很厉害,但都在云层中盘绕,没有下击的情况,因此知道是伪造了现场。那时,死者的妻子已先回娘家难以审问,所以一定要先捉到这个人,然后才能审讯那女人。”这个县令可谓明察秋毫。

陈四

【原文】

农夫陈四，夏夜在团焦守瓜田，遥见老柳树下，隐隐有数人影。疑盗瓜者，假寐听之。中一人曰："不知陈四已睡未？"又一人曰："陈四不过数日，即来从我辈游，何畏之有？昨上直土神祠，见城隍牒矣。"又一人曰："君不知耶？陈四延寿矣。"众问何故，曰："某家失钱二千文，其婢鞭捶数百未承。婢之父亦愤曰：'生女如是，不如无。倘果盗，吾必缢杀之。'婢曰：'是不承死，承亦死也。'呼天泣。陈四之母怜之，阴典衣得钱二千，捧还主人曰：'老妇昏愦，一时见利取此钱。意谓主人积钱多，未必遽算出。不料累此婢，心实惶愧。钱尚未用，谨冒死自首，免结来世冤。老妇亦无颜居此，请从此辞。'婢因得免。土神嘉其不辞自污以救人，达城隍。城隍达东岳。东岳检籍，此妇当老而丧子，冻饿死。以是功德，判陈四借来生之寿于今生，俾养其母。尔昨下直，未知也。"陈四方窃愤母以盗钱见逐，至是乃释然。后九年，母死。葬事毕，无疾而逝。

【译文】

农夫陈四，夏夜在草棚里守瓜田，远望老柳树下隐约有几个人影，他以为是偷瓜的，便假装睡觉静听。其中一个人说："不知陈四睡了没有？"另一个人说："陈四过不了几天，便和我们在一起了，怕他什么？昨天我去土神祠值班，看见城隍的牒文了。"又一个人说："你不知道么？陈四延寿了。"大家问怎么回事。这人说："某家丢了两千文钱，婢女挨了几百鞭子也不承认是她偷的。婢女的父亲很生气，说：'生了这样的女儿，不如不生，如果是她偷的，非勒死她不可。'婢女说：'我承认是死，不承认也是死。'说完呼天抢地地大哭。陈四的母亲同情她，偷偷地把衣服当了，换了二千文钱，还给主人说：'我这老婆子糊涂，见利忘义偷了这些钱，认为主人钱多，未必能马上发现。不料牵连了这个婢女，心中实在害怕。钱还未用，我冒死自首，以免结下来生的冤孽。我没脸住在这儿了，从此将到别的地方去。'婢女于是得救。土神称赞她不顾毁了自己而救他人，报告给城隍，城隍报告了东岳。东岳查阅名册，发现这老妇命该晚年丧子，冻饿而死。因有这个功德，判陈四借来生的寿命，以使他在今生抚养母亲。你昨天值完班走了，不知道。"陈四心中正愤恨母亲因偷钱被赶走，至此时才心中石头落地。后过了九年，母亲去世。丧事结束后，陈四没什么病也去世了。

二塾师

【原文】

有两塾师邻村居，皆以道学自任。一日，相邀会讲，生徒侍坐者十余人。方辩论性天，剖析理欲，严词正色，如对圣贤。忽微风飒然，吹片纸落阶下，旋舞不止。生徒拾视之，则二人谋夺一寡妇田，往来密商之札也。此或神恶其伪，故巧发其奸欤？然操此术者众矣，固未尝一一败也。闻此札既露，其计不行，寡妇之田竟得保。当由茕嫠苦节，感动幽冥，故示是灵异，以阴为呵护云尔。

【译文】

有两个私塾先生邻村而居，都以道学家自居。一日，两人相邀一起举办讲学活动，有十多个门生听讲。两人正讨论性天之说，剖析天理人欲，讲的时候都表情严肃，义正辞严，好像面对圣贤一样。忽然一阵微风拂来，将一片纸吹到台阶下，在地上旋转不停。门生拾来一看，原来是两位私塾先生为夺取一位寡妇的地而往来密谋的信件。这可能是鬼神讨厌他们的虚伪，所以巧妙地揭发其阴谋吧。然而干这种坏事的人不止一个，当然不会一一败露。听说此信被公开，其阴谋便行不通了，寡妇的地最终得以保存。应该是由于寡妇守节，感动了鬼神，所以鬼神显现这种灵异暗中庇护了她。

五台僧

【原文】

白衣庵僧明玉言：昔五台一僧，夜恒梦至地狱，见种种变相。有老宿教以精意诵经，其梦弥甚，遂渐至委顿。又一老宿曰："是必汝未出家前，曾造恶业。出家后渐明因果，自知必堕地狱，生恐怖心。以恐怖心，造成诸相，故诵经弥笃，幻象弥增。夫佛法广大，容人忏悔，一切恶业，应念皆消。'放下屠刀，立地成佛。'汝不闻之乎？"是僧闻言，即对佛发愿，勇猛精进，自是宴然无梦矣。

【译文】

白衣庵和尚明玉说：从前五台山有一个和尚，夜里常做梦到了地狱，看到许多可怕的景象。有位老先生教他一心诵经，结果梦做得更厉害，以至身体渐渐衰弱下来。又有一位老先生说："这肯定是你在没出家前，曾造了罪孽，出家后，渐渐懂得了因果报应，自知死后必定坠入地狱，因此很害怕。因为心生恐惧，产生种种可怕的景象，所以越是一心诵经，幻象也越多。佛法无边，容许人忏悔，一切罪孽，只要诚心悔过便全都消除。'放下屠刀，立地成佛。'你没听说这句话么？"这和尚听了，即对佛发愿，勇猛精进，从此便不再做恶梦了。

张　福

【原文】

张福，杜林镇人也，以负贩为业。一日，与里豪争路，豪挥仆推堕石桥下。时河冰方结，觚棱如锋刃，颅骨破裂，仅奄奄存一息。里胥故嗛豪，遽闻于官。官利其财，狱颇急。福遣母谓豪曰："君偿我命，与我何益？能为我养老母幼子，则乘我未绝，我到官言失足堕桥下。"豪诺之。福粗知字义，尚能忍痛自书状。生供凿凿，官吏无如何也。福死之后，豪竟负约。其母屡控于官，终以生供有据，不能直。豪后乘醉夜行，亦马蹶堕桥死。皆曰："是负福之报矣。"

先姚安公曰："甚哉，治狱之难也！而命案尤难。有顶凶者，甘为人代死；有贿和者，甘鬻其所亲。斯已猝不易诘矣。至于被杀之人，手书供状，云非是人之所杀。此虽皋陶听之，不能入其罪也。倘非负约不偿，致遭鬼殛，则竟

以财免矣。讼情万变，何所不有，司刑者可据理率断哉？”

【译文】

张福，杜林镇人，靠贩运货物为生。有一天，他与乡里土豪争道，土豪指使仆从把他推到石桥下。当时河上刚刚冻结，冰凌像锋刃一样尖锐。他摔下去后，颅骨破裂，奄奄一息。里胥原先就怨恨土豪，于是立即报告了官府。官府见土豪钱财多，案子追得很紧急。张福暗地里让母亲告诉土豪：“你给我偿命，对我有什么好处呢？如果愿意帮忙替我赡养老母和幼子，那么趁着自己还没有咽气前，到官府说是我由于失足才掉到桥下去的。”土豪答应他。张福略微认识几个字，还能够忍住疼痛自己书写状子。他的口供实实在在，官府也无可奈何。张福死了以后，土豪竟然毁约不履行诺言。张母三番五次告到官府，最后仍因为张福有口供，不能翻案。土豪后来喝醉酒夜行，马跌倒了，他也掉到桥下摔死了。大家都道：“这是欺骗张福的报应啊。”

先父姚安公评说：“审理案件是真难啊！而审理命案更是难上加难。有顶替凶手的，心甘情愿代人去死；有贿赂讲和的，心甘情愿出卖亲朋好友。这些已经足够令人措手不及，难以审理出个水落石出。至于被杀的人，自己亲手写下口供，讲并非此人所杀。这就是请皋陶出面审理，肯定也不能定罪。如果不是毁约以致遭受到鬼神的惩罚，则会由于有钱财而逃脱了。案情千变万化，无所不有，掌管刑法的官员可以依据事理而轻率地断案么？”

古寺鬼语

【原文】

余督学闽中时，幕友钟忻湖言：其友昔在某公幕，因会勘宿古寺中。月色朦胧，见某公窗下有人影，徘徊良久，冉冉上钟楼去。心知为鬼魅，然素有胆，竟蹑往寻之。至则楼门锁闭，楼上似有二人语，其一曰："君何以空返？"其一曰："此地罕有官吏至，今幸两官共宿，将俟人静讼吾冤。顷窃听所言，非揣摩迎合之方，即消弭弥缝之术。是不足以办吾事，故废然返。"语毕，似有太息声。再听之，竟寂然矣。次日阴告主人，果变色摇手，戒勿多事，迄不知其何冤也。

余谓此君友有嗛于主人，故造斯言，形容其巧于趋避，为鬼揶揄耳。若就此一事而论，鬼非目睹，语未耳闻，恍惚杳冥，茫无实据，虽阎罗包老，亦不可措手，顾乃责之于某公乎？

【译文】

我被任命为福建学政的时候，听幕僚钟忻湖说：他的朋友从前在某公手下做事，由于调查一件公事而留宿在古庙里。夜晚月色朦朦胧胧

胧，这位朋友看见某公窗下有一个人影，徘徊了很久，然后飘飘荡荡地上了钟楼。他心里知道这是鬼怪，但是他一向大胆，竟然跟踪着上去寻找。到了目的地却见楼门上锁，楼上似乎有两个人在说话。一个说："你怎么白跑了一趟？"另一个回答："这个地方极少有官员来，今天庆幸有两位官员一同在这儿住宿，本来打算等待夜深人静后向他们讲述我的冤情。可是，刚才偷听他们的谈话，不是揣摩迎合的办法，就是商量涂抹稀泥的计谋。他们不能够了却我的冤枉事，所以白跑了一趟。"说完话，好像有叹息的声音。再接着听下去，就一切静悄悄了。第二天，这位朋友偷偷地告诉了某公，某公果然脸色大变不停地摇手，告诫他不要多事。因此至今依旧不知道那个鬼怪有什么冤情。

我认为，这位朋友可能对某公有不满情绪，才编出如此一段故事，来借以形容某公善于趋利避祸，结果被鬼怪嘲弄了一次。假如就这件事情而论，则某公既没有亲眼目睹鬼怪，也没有听见鬼怪喊冤，恍恍惚惚地没有真凭实据，即使是阎王、包公，仍然会无从下手，我们又怎么可以因此而去责备某公呢？

曹二媳妇

【原文】

佃户曹二妇悍甚，动辄诃詈风雨，诟谇鬼神。乡邻里间，一语不合，即揎袖露臂，携二捣衣杵，奋呼跳掷如虓虎。一日，乘阴雨出窃麦。忽风雷大作，巨雹如鹅卵，已中伤仆地。忽风卷一五斗栲栳堕其前，顶之得不死。岂天亦畏其横欤？或曰："是虽暴戾，而善事其姑。每与人斗，姑叱之，辄弭伏。姑批其颊，亦跪而受。"然则遇难不死，有由矣。孔子曰："夫孝，天之经也，地之义也。"岂不然乎？

【译文】

佃户曹二的媳妇很泼辣，动不动就指天骂地，甚至辱骂鬼神。她和邻里乡亲一句话不对劲，便挽起袖子，露出胳膊，拿着两根捣衣棒，呼叫跳跃像头母老虎。有一天，她乘着阴雨天偷麦子，忽然风雷大作，冰雹劈天盖地从空而降，有鹅蛋那么大，把她砸倒在地。这时，大风忽然又卷来一个能装五斗粮的栲栳，掉在她面前，她急中生智，忙把栲栳顶在头上才幸免一死。莫非上天也怕她蛮横？有人说："她虽然个性凶暴，但对婆婆很孝顺，每当她和别人争斗时，婆婆一呵斥她，她便不出声了。婆婆打她的嘴巴，她也还跪着领受。"可见遇难不死是有原因的。孔子说："孝道是天经地义之事。"难道不是这样么？

鬼　隐

【原文】

戴东原言：明季有宋某者，卜葬地，至歙县深山中。日薄暮，风雨欲来，见岩下有洞，投之暂避。闻洞内人语曰："此中有鬼，君勿入。"问："汝何以入？"曰："身即鬼也。"宋请一见，曰："与君相见，则阴阳气战，君必寒热小不安。不如君爇火自卫，遥作隔座谈也。"宋问："君必有墓，何以居此？"曰："吾神宗时为县令，恶仕宦者货利相攘，进取相轧，乃弃职归田。殁而祈于阎罗，勿轮回人世。遂以来生禄秩，改注阴官。不虞幽冥之中，相攘相轧，亦复如此，又弃职归墓。墓居群鬼之间，往来嚣杂，不胜其烦，不得已避居于此。虽凄风苦雨，萧索难堪，较诸宦海风波，世途机阱，则如生忉利天矣。寂历空山，都忘甲子。与鬼相隔者，不知几年；与人相隔者，更不知几年。自喜解脱万缘，冥心造化，不意又通人迹，明朝当即移居。武陵渔人，勿再访桃花源也。"语讫不复酬对。问其姓名，亦不答。宋携有笔砚，因濡墨大书"鬼隐"两字于洞口而归。

【译文】

戴震说：明朝有个宋某，到歙县一座深山中选择坟地。天色将晚，风雨将至，宋某见到山崖下面有个山洞，便投奔过去打算暂时避避。突然听到洞里有人在说话："这洞中有鬼，你不要进来。"宋某问："那你怎么可以进来呢？"回答道："我本身就是鬼。"宋某请求与他见见面。鬼回答说："我和你见面，则会导致阴气和阳气相撞，你一定会寒热而不大舒服。不如你点着火自卫，我们相隔一段距离谈谈。"宋某问："你一定有一座坟墓，为什么要住在这里呢？"鬼答道："我在明神宗时做县令，厌恶那些官场上的人见了货物、财利就相互争抢，在加禄晋官时相互倾轧，我于是放弃了官职，回家务农。我死后向阎罗王请求，来世不要去人间。于是便将我来生的禄位，改为阴间的官。没有料到在阴间，相互争夺倾轧同样如此，于是又丢弃职务回到坟墓。坟墓在群鬼之间，往来嘈杂，不胜其烦，迫不得已，到这里来避居。虽然这里有凄风冷雨，冷冷清清，满目萧条难以忍受，但比较起官场中的风风雨雨，人世间的尔虞我诈，就像生活在忉利天里。我在这空山里，寂寞地度过了许久，忘记了时间的流逝。与鬼断绝来往，不知有多少年了。与人世断绝，就更不知道有多少年。我心里为解脱了人世阴间的一切来往而高兴，没想到这里又有人来，我明天早上就迁移居住地。武陵渔人，不要再去探访桃花源了。"说罢，不再吱声，问他的姓名，也不回答。宋某带有笔和砚，因此砚墨濡笔，在洞口写了"鬼隐"两个大字后就回去了。

妖由人兴

【原文】

妖由人兴，往往有焉。李云举言：一人胆至怯，一人欲戏之，其奴手黑如墨，使藏于室中，密约曰："我与某坐月下，我惊呼有鬼，尔即从窗隙伸一手。"届期呼之，突一手探出，其大如箕，五指挺然如舂杵。宾主俱惊，仆众哗曰："奴其真鬼耶？"秉炬持杖入，则奴昏卧于壁角。救之苏，言暗中似有物以气嘘我，我即迷闷。

族叔麓庵言：二人同读书佛寺，一人灯下作缢鬼状，立于前，见是人惊怖欲绝，急呼："是我，尔勿畏。"是人曰："固知是尔，尔背后何物也？"回顾乃一真缢鬼。盖机械一萌，鬼遂以机械之心从而应之。斯亦可为螳螂、黄雀之喻矣。

【译文】

妖怪由人产生的这种情况常常有。李云举说，有一个人的胆量特别小，一个人想戏弄他，他的仆人的手像墨汁一样的黑，便让他藏在屋中，密密地和他约定："我和那人坐到月光底下，突然我惊叫有鬼，你就从窗缝中伸出一只手。"到这人一呼叫的时候，突然一只手从窗子缝里伸出来，有畚箕那么大，五个大手指像舂杵那样直直挺立。主客都吓了一跳，仆人都惊奇地喧嚷道："他真是鬼啊！"于是拿着蜡烛操着木棍进去，只见那个奴仆昏倒在墙角。把他救醒后，他说黑暗中好像有什么东西，用气吹他，他当即就昏迷过去了。

我的族叔粲庵说，有两个人一同在佛庙里读书，一个人在灯下装作吊死鬼形状，站到另一个人面前，看见他的这人被吓得差点昏死过去，他急忙大叫："是我，你不要怕。"另一个人说："我当然知道是你，但你身后是什么东西？"装吊死鬼的人回头一看，真有一个吊死鬼。大概巧诈心一动，鬼便以巧诈心来响应。这也好像"螳螂捕蝉，黄雀在后"的比喻一样。

陈　生

【原文】

南宫鲍敬之先生言：其乡有陈生，读书神祠。夏夜袒裼睡庑下，梦神召至座前，诃责甚厉。陈辩曰："殿上先有贩夫数人睡，某避于庑下，何反获愆？"神曰："贩夫则可，汝则不可。彼蠢蠢如鹿豕，何足与较？汝读书而不知礼乎？"

盖《春秋》责备贤者，理如是矣。故君子之于世也，可随俗者随，不必苟异；不可随俗者不随，亦不苟同。世于违礼之事，动曰某某曾为之。夫不论事之是非，但论事之有无，自古以来，何事不曾有人为之，可一一据以借口乎？

【译文】

南宫人鲍敬之先生说：他的家乡有个姓陈的后生，在神祠里读书。在夏天的夜晚，光着上身睡在廊庑下，他梦见神把他召到座前，责骂训斥得很厉害。陈生辩白说："殿上先有几个小贩在睡，我躲避到这个廊庑下，为什么反而受到谴责？"神说："那些贩子可以在那里睡，你就不行。他们那些人像鹿和猪一样愚蠢，你怎么可以和他们比较呢？你读书却不懂得礼仪么？"

大概《春秋》中责怪挑剔贤能的人，就是这个道理。所以君子处世，可以随俗的就随俗，不必要强求相异，不可以随俗的就不随，也不必强求相同。世俗对于那些违背常理道德的事，动不动就说某某曾干过这件事。不论事情的是与非，只论事情的有和无，那么自古以来，什么事没有人做过，都可以一一用来作为借口么？

说　鬼

【原文】

王菊庄言：有书生夜泊鄱阳湖，步月纳凉，至一酒肆，遇数人，各道姓名，云皆乡里。因沽酒小饮，笑言既洽，相与说鬼，搜异抽新，多出意表。

一人曰："是固皆奇，然莫奇于吾所见矣。曩在京师，避嚣寓丰台花匠家，邂逅一士共谈。吾言此地花事殊胜，惟墟墓间多鬼可憎。士曰：'鬼亦有雅俗，未可概弃。吾曩游西山，遇一人论诗，殊多精诣。自诵所作，有曰：深山迟见日，古寺早生秋。又曰：钟声散墟落，灯火见人家。又曰：猿声临水断，人语入烟深。又曰：林梢明远水，楼角挂斜阳。又曰：苔痕侵病榻，雨气入昏灯。又曰：鸺鹠岁久能人语，魍魉山深每昼行。又曰：空江照影芙蓉泪，废苑寻春蛱蝶魂。皆楚楚有致。方拟问其居停，忽有铃驮琅琅，欻欻然灭迹。此鬼宁复可憎耶？'吾爱其脱洒，欲留共饮。其人振衣起曰：'得免君憎，已为大幸，宁敢再入郇厨？'一笑而隐，方知说鬼者即鬼也。"

书生因戏曰："此称奇绝，古所未闻。然阳

羡鹅笼，幻中出幻，乃辗转相生，安知说此鬼者，不又即鬼耶？”数人一时色变，微风飒起，灯光暗然，并化为薄雾轻烟，蒙蒙四散。

【译文】

听王菊庄说，有位书生夜里泊船在鄱阳湖。他在月下散步纳凉，来到了一家酒店，碰到几个人，他们各自报了自己的姓名，一经介绍后，才知道彼此都是同乡，于是他们买酒一起小饮，谈笑融洽，彼此都讲起鬼来，各自搜罗奇闻怪事，多数都在意料之外。

一个人说：“这些怪异之事固然都新奇，然而其中没有比我所见的更奇异。从前，我在京师，为了躲避喧嚣住在丰台一个花匠家，偶遇一位读书人，彼此闲谈起来。我说：‘这里养花很好，只是坟墓间有鬼，太令人憎恶了。’读书人说：‘鬼也有雅俗之分，不可一概否定。我从前游西山时，碰到一个人正在谈论诗文，见解精辟。他吟诵自己的诗，如：深山迟见日，古寺早生秋；如：钟声散墟落，灯火见人家；如：猿声临水断，人语入烟深；如：林梢明远水，楼角挂斜阳；如：苔痕侵病榻，雨气入昏灯；如：鸺鹠岁久能人语，魍魉山深每昼行；如：空江照影芙蓉泪，废苑寻春蛱蝶魂。这些诗句都很有情致。我正想问他住在哪里，忽然听到驮铃琅琅作响，这人忽然就不见了。这鬼难道还可憎吗？’我就喜欢这位读书人的洒脱，想留他共饮，那人振衣站了起来说：‘能不令您憎恶已是大幸了，怎么敢麻烦您下厨呢！’说着一笑就不见了。我才知道那个说鬼的人原来就是鬼。”

书生听了后开玩笑说：“这些奇异的事前所未闻，然而，正如阳羡的鹅笼，幻中生幻，能辗转相生，怎么知道这个说鬼的人不也是鬼呢！”一听到这里，大家都变了脸色。这时候刮起了一阵风，灯光也变得昏暗，那些人都化作薄雾轻烟，一下子就不见了。

牧　童

【原文】

刘香畹言：沧州近海处，有牧童年十四五，虽农家子，颇白皙。一日，陂畔午睡醒，觉背上似负一物。然视之无形，扪之无质，问之亦无声。怖而返，以告父母，无如之何。数日后，渐似拥抱，渐似抚摩，既而渐似梦魇，遂为所污。自是媟狎无时，而无形无质无声，则仍如故。时或得钱物果饵，亦不甚多。

邻塾师语其父曰："此恐是狐，宜藏猎犬，俟闻媚声时排闼嗾攫之。"父如所教。狐嗷然破窗出，在屋上跳掷，骂童负心。塾师呼与语曰："君幻化通灵，定知世事。夫男女相悦，感以情也。然朝盟同穴，夕过别船者，尚不知其几。至若娈童，本非女质，抱衾荐枕，不过以色为市耳。当其傅粉熏香，含娇流盼，缠头万锦，买笑千金，非不似碧玉多情，回身就抱。迨富者资尽，贵者权移，或掉臂长辞，或倒戈反噬，翻云覆雨，自古皆然。萧韶之于庾信，慕容冲之于苻坚，载在史册，其尤著者也。其所施者如彼，其所报者尚如此。然则与此辈论交，如抟沙作饭矣。

况君所赠，曾不及五陵豪贵之万一，而欲此童心坚金石，不亦颠乎？"语讫寂然。良久，忽闻顿足曰："先生休矣，吾今乃始知吾痴。"浩叹数声而去。

【译文】

听刘香畹说，在沧州近海处有一个十四五岁的牧童，虽然是农家出身，却长得非常白净。有一天，他在河边午睡，醒来之后觉得背上压着一个什么东西，看又没有影，摸也摸不到，问又问不应。他害怕得跑回家，并告诉了父母，父母也不知所措。几天以后，牧童渐渐觉得有个怪物在拥抱他，抚摸他，渐渐地好像在做恶梦，最后被那个怪物玷污了。从此以后，怪物不断来调戏牧童，但仍然是来无影去无踪。怪物有时给牧童一些钱物食品，但数量也不多。

邻居是一个私塾先生，他告诉牧童的父亲说："这怪物恐怕是狐狸精，应当在家里藏条猎狗，等狐狸精一来，就让狗破门而入抓住它。"牧童的父亲按照他教的那样做了。而狐狸精大叫一声，从窗户飞了出去，在屋上跳着大骂牧童为负心汉。私塾先生对狐狸精说："你既能幻化通灵，一定懂得人情世故。男女之爱，本来是为情所

动。然而早上还海誓山盟，晚上又恋上别人，这种人不知有多少。至于那些男童，本不是女性，却与人同床共枕，只不过是出卖色相罢了。当他傅粉施香，含娇流盼，缠头万锦，千金买笑时，没有不像碧玉那样多情的，拥入他人怀里。但是当有钱人财尽，有权人失官时，便会转身离去，甚至有的反戈一击，翻手为云，覆手为雨，自古都是这样。像记入史册的萧韶对待庾信、慕容冲对待苻坚，这些就更明显。庾信、苻坚所施恩惠那么大，尚且得到如此回报。如此说来与他们论交情就像用沙子做饭一样靠不住。况且你所赠予的，还不及五陵豪贵的万分之一，却想让这位牧童心坚如金石，你不是太糊涂了吗？”说完，狐狸精没有声息。过了好久，听到狐狸精顿足说：“先生您就别再讲了，我现在才知道是我太痴心了。”狐狸精长叹几声之后离去。

邪心招狐

【原文】

裘编修超然言：丰宜门内玉皇庙街，有破屋数间，锁闭已久，云中有狐魅。适江西一孝廉，与数友过夏，取其地幽僻，僦舍于旁。

一日，见幼妇立檐下，态殊妩媚，心知为狐。少年豪宕，意殊不惧。黄昏后，诣门作礼，祝以媟词。夜中闻床前窸窣有声，心知狐至，暗中举手引之。纵体入怀，遽相狎昵，冶荡万状，奔命殆疲。比月上窗明，谛视，乃一白发媪，黑陋可憎。惊问："汝谁？"殊不愧赧，自云："本城楼上老狐，娘子怪我饕餮而慵作，斥居此屋，寂寞已数载。感君垂爱，故冒耻自献耳。"孝廉怒，搏其颊，欲缚捶之。撑拄摆拨间，同舍闻声，皆来助捉。忽一脱手，已琤然破窗遁。次夕，自坐屋檐，作软语相唤。孝廉诟詈，忽为飞瓦所击。又一夕，揭帷欲寝，乃裸卧床上，笑而招手。抽刃向击，始泣骂去。惧其复至，移寓避之。登车顷，突见前幼妇自内走出。密遣小奴访问，始知居停主人之甥女，昨偶到街买花粉也。

【译文】

听裘超然编修说，在丰宜门内玉皇庙街有数间破屋，房门紧锁很久了，传说这里住着一个狐仙。恰好有一位江西籍的举人落榜，他打算同几位朋友在京师读书等待下一次的考试，因此在这片幽静处租房住了下来。

有一天，他看见一个少妇正站在房檐下，体态风骚，认为是狐仙。他年轻放荡，一点都不怕。黄昏后，他到她的门前去行礼问候，并且说一些轻佻的话。晚上，他听到床前有窸窸的响声，心里想：这是狐仙来了，便把那黑影拉上床来，对方趁势投入他的怀里，随即亲昵起来，冶荡万状，累得他筋疲力尽。等到月上窗楹的时候，他仔细一看，发现与自己同床的是一个又黑又丑、面目可憎的白发老妇。举人吃惊地问道："你是什么人？"而那只老狐仙一点也不惭愧地说："我本来是城楼上的一只老狐狸，因娘子怪我贪婪而且懒惰，把我赶到这屋里，从此我寂寞一人过了许多年。今晚感谢您对我的垂爱，所以不顾羞耻地献了身。"举人听到这里，愤怒地打了她一耳光，想捆住她再打，在他们相互撕扯中，同屋人听到了声响前来相助。举人刚一脱手，狐仙就破窗逃走了。第二天傍晚，那个狐仙又坐在屋檐下轻声呼唤。举人听到了，大声怒骂她，却被突然飞来的瓦片打中。又一个晚上，举人正想揭开蚊帐去睡觉，只见狐仙赤身躺在床上，正笑着向他招手。举人抽刀去砍她，她才哭骂着离去。举人害怕她再来，只得迁居别处躲避。当他刚上马车，突然看到上次见到的那个少妇从屋里走了出来。举人暗中派奴仆去打探，才知道是房东的外甥女，昨天她出来上街买花粉的。

王　玉

【原文】

外祖雪峰张公家奴子王玉善射。尝自新河携盐租返，遇三盗，三矢仆之，各唾面纵去。

一日，携弓矢夜行，见黑狐人立向月拜。引满一发，应弦饮羽。归而寒热大作。是夕，绕屋有哭声曰："我自拜月炼形，何害于汝？汝无故见杀，必相报恨。汝未衰，当诉诸司命耳。"数日后，窗棱上铿然有声。愕眙惊问，闻窗外语曰："王玉我告汝，我昨诉汝于地府，冥官检籍，乃知汝过去生中，负冤讼辩，我为刑官，阴庇私党，使汝理直不得申，抑郁愤恚，自刺而死。我堕身为狐，此一矢所以报也。因果分明，我不怨汝。惟当日违心枉拷，尚负汝笞掠百余。汝肯发愿免偿，则阴曹销籍，来生拜赐多矣。"语讫，似闻叩额声。王叱曰："今生债尚不了了，

谁能索前生债耶？妖鬼速去，无扰我眠。”遂寂然。

世见作恶无报，动疑神理之无据。乌知冥冥之中，有如是之委曲哉！

【译文】

外祖父张雪峰先生家里有个仆人叫王玉，擅长射箭。有一次，他从新河随身带回一些盐租钱回来，在路上碰到了三个强盗。王玉三箭就把他们射倒在地上，然后往每人脸上吐了一口唾沫就放了他们。

有一天晚上，他身背一把弓箭在赶路。只见前面一只黑色的狐狸像人一样站立着，在拜月亮。王玉拉满弓射去，只见黑狐应声倒下。等他回到家里后，时热时冷，到晚上，听到屋外有哭声，说：“我正在拜月炼形，碍着你什么？你无缘无故杀了我，我一定要报仇，现在你还不是最倒霉的时候，我要到判官那里告你。”几天以后，他听到窗棂上铿铿作响，王玉惊问是谁。只听到窗外回答说：“王玉，我告诉你，昨天我到地府告了你，阴官也查了生死簿，才知道你前世中也背负了冤案，当时我作为判官，暗中庇护了被告，使得你有理无处伸，因此抑郁愤怒，自杀身亡。我被罚投生变为狐狸，现在你这一箭报了你的仇。因果分明，也不怨你。只是当时我冤枉拷打了你，我还欠你一百多鞭。你如果肯免了我，那么就到阴间去销去这笔账，来生我会重重酬谢你的。”说完，好像能听到叩头声。王玉大声喝道：“今生的债务都不能了结，谁还去索还前生的债？你这个妖鬼快快离去，不要打扰我的睡眠。”说完这些就寂静无声了。

世上的人看到作恶者没有受到应有的报应，就怀疑天理没有根据，却不知道阴曹地府中有如此详尽的记录。

鬼魅报恩

【原文】

莆田林生霈言：闽一县令，罢官居馆舍。夜有群盗破扉入，一媪惊呼，刃中脑仆地。童仆莫敢出。巷有逻者，素弗善所为，亦坐视。盗遂肆意搜掠。其幼子年十四五，以锦衾蒙首卧。盗掣取衾，见姣丽如好女，嘻笑抚摩，似欲为无礼。中刃媪突然跃起，夺取盗刀，径负是子夺门出。追者皆被伤，乃仅捆载所劫去。

县令怪媪已六旬，素不闻其能技击，何勇鸷乃尔。急往寻视，则媪挺立大言曰："我某都某甲也，曾蒙公再生恩。殁后执役土神祠，闻公被劫，特来视。宦资是公刑求所得，冥判饱盗橐，我不敢救。至侵及公子，则盗罪当诛，故附此媪与之战。公努力为善，我去矣。"遂昏昏如醉卧。救苏问之，懵然不忆。盖此令遇贫人与贫人讼，剖断亦颇公明，故卒食其报云。

【译文】

听莆田人林霈说，福建有一个县令，罢官之后寓居在馆舍里。有一天晚上，一群盗贼破门而入，只听到一个老妇惊叫了一声，就被人砍

中脑袋，倒在地上。其他仆人不敢出来，街上巡逻的人也不喜欢县令平时的为人，也都袖手旁观。盗贼因此更加肆意搜索掠夺。县令有一个十四五岁的儿子，这时他用被子蒙住头躺在床上。强盗拉开被子一看，只见他长得姣丽如美女，便嘻笑去抚摸，好像是要去做无礼之事。这时那个被砍伤的老妇突然跳了起来，夺过强盗的刀，背起这个小孩夺门逃走。那些去追赶她的人都被她砍伤，于是只好捆上抢劫到的财物离开。

县令感到奇怪，这个老妇有六十多岁了，平时又没听说她擅长武术，为什么这次却如此勇猛呢？于是他便派人去查问。只见那位老妇站起来说："我是某城某甲，因曾经蒙受您的再生之恩。死后到土神祠当差，刚听说您家遭受抢劫，特意来察看。这些财物是您断案时勒索得到的，判官判定就让强盗取去，我不敢去阻止。至于您的公子遭到侵犯，那是强盗的罪过，他们本应杀死，于是我附形在这位老妇身上跟他们相斗。以后您还是努力去做好事吧，我走了。"说完这些后，那个老妇像喝醉了酒，慢慢地倒下去。等到把她救醒再问她时，她却一点也不记得刚才发生的事。听说这位县令以前每碰到穷人之间打官司时，断案还是很公道的，所以最终得到了回报。

长随

【原文】

州县官长随，姓名籍贯皆无一定，盖预防奸赃败露，使无可踪迹追捕也。姚安公尝见房师石窗陈公一长随，自称山东朱文。后再见于高淳令梁公润堂家，则自称河南李定。梁公颇倚任之。临启程时，此人忽得异疾，乃托姚安公暂留于家，约痊时续往。其疾自两足趾寸寸溃腐，以渐而上，至胸膈穿漏而死。死后检其囊箧，有小册作蝇头字，记所阅凡十七官，每官皆疏其阴事。详载某时某地，某人与闻，某人旁睹，以及往来书札，谳断案牍，无一不备录。其同类有知之者，曰："是尝挟制数官矣。其妻亦某官之侍婢，盗之窃逃，留一函于几上，官竟弗敢追也。今得是疾，岂非天道哉？"

霍文易书曰："此辈依人门户，本为舞弊而来。譬彼养鹰，断不能责以食谷，在主人善驾驭耳。如喜其便捷，委以耳目腹心，未有不倒持干戈，授人以柄者。此人不足责，吾责彼十七官也。"姚安公曰："此言犹未揣其本。使十七官者绝无阴事之可书，虽此人日日橐笔，亦何能为哉？”

【译文】

据说长期跟随州县长官的随从，姓名、籍贯都不确定。大概是预防贪赃行为败露后，使人无从追捕。先父姚安公曾经看见有一位跟随房师陈石窗的随从，自称是山东人，叫朱文。后来，在高淳县令梁润堂家再碰到他，却又自称是河南人，叫李定。梁先生也非常信赖他，却不料在梁先生启程去别处时，这个人忽然得了一种怪病，于是梁公只得把他托付给我父亲，叫他病好了再去找自己。这个人的病也怪，从他的两个脚趾间烂起，慢慢地往上移，一直烂到他的胸膈之间而死。死后检查他的行李，发现其中有一本写满蝇头小楷、记录他共跟随过的十七位官员的小册子。而且每个官员的阴私都有记载，详细记载发生在某时某地，和某人一同听到看到，以及书信往来、断案的文件等等，都一一记录下来。据知道他内情的同行说：“他曾经以此要挟过许多官员。甚至他的妻子也是某个官员的侍女。他拐这个侍女私奔时，在那个官员的桌上留下了一封信，这位官员竟然不敢去追究他。现在他得这种病，莫不是上天的旨意？”

霍文易也说：“这种人去做随从，本来是为营私舞弊而来的。正如人们养鹰，决不能给它粮食吃，最关键的是主人要善于去驾驭它。如果因为它动作敏捷就用它作为耳目心腹来重用它，就没有不倒持干戈，授人以柄的。这种人不足为责，我现在要责备的是那十七位官员。”先父也说：“这番话还没有说到根本上。假使那十七位官员根本没有隐私去给他记录，即使那人天天记录，又能有什么用呢？”

无不可解之冤

【原文】

先叔仪南公言：有王某、曾某，素相善。王艳曾之妇，乘曾为盗所诬引，阴贿吏毙于狱。方营求媒妁，意忽自悔，遂辍其谋。拟为作功德解冤，既而念佛法有无未可知，乃迎曾父母妻子于家，奉养备至。如是者数年，耗其家资之半。曾父母意不自安，欲以妇归王。王固辞，奉养益谨。又数年，曾母病，王侍汤药，衣不解带。曾母临殁，曰："久荷厚恩，来世何以为报乎？"王乃叩首流血，具陈其实，乞冥府见曾为解释。母慨诺。曾父亦手作一札，纳曾母袖中，曰："死果见儿，以此付之。如再修怨，黄泉下无相见也。"后王为曾母营葬，督工劳倦，假寐圹侧。忽闻耳畔大声曰："冤则解矣。尔有一女，忘之乎？"惕然而寤，遂以女许嫁其子。后竟得善终。

以必不可解之冤，而感以不能不解之情，真狡黠人哉！然如是之冤犹可解，知无不可解之冤矣。亦足为悔罪者劝也。

【译文】

听先叔仪南公说，有姓王、姓曾的两个人，平素很要好。王某垂涎曾某的妻子，他趁曾某被盗贼诬陷而被牵连的时候，暗中贿赂狱吏，把曾某谋害在狱中。正当王某想物色媒人替他去说媒的时候，忽然后悔自己太过分了，于是打消了当初的念头。他想通过念经诵佛来解脱自己的罪孽，后来又考虑是否有佛法都不一定，于是把曾某一家接到家中供养起来，奉养备至。就这样过了好几年，耗费了一半家产。曾的父母过意不去，想把儿媳嫁给王某，但王某坚决推辞，赡养得更殷勤了。又过了几年，曾母卧床不起，王某整日侍奉汤药，衣不解带，像孝子一样守护在她的床前。曾母临死之前对王某说："我们这样长久地蒙受您的厚恩，来世我该怎样去报答您呢？"王某听到这话，惭愧不已，于是跪在地下，叩头流血，详细地说出了其中的原委，哀求曾母在九泉之下替他向曾某解释，求他宽恕。曾母慨然答应了。曾父也写了一封书信，塞进妻子的袖子里，嘱咐她说："如果你死后果真碰到了儿子，你就把这封信给他看。如果他还要怨恨王某，等我到了黄泉，你就让他别来认我。"曾母死后，王某替她营造了墓穴，由于督工过度劳累，不知不觉在坟墓旁睡着了。迷迷糊糊中，他听到有人在他的耳边大声说："你我之间的冤情已经化解了，你不是有个女儿吗，难道你这都忘记了？"王某立刻惊醒了，便答应将自己的女儿嫁给了曾某的儿子。最后，王某也得以善终。

本来这是一段化不开的冤债，王某却用一种不能不让人原谅的悔过之情去打动对方，这样的人也真够狡黠的。然而像这样深的冤仇都能化解，那么可想而知，世间就没有不可化解的冤仇了。这个故事足以去劝勉那些需要悔过的人们了。

扶乩

【原文】

先姚安公言：有扶乩治病者，仙自称“芦中人”。问：“岂伍相国耶？”曰：“彼自隐语，吾真以此为号也。”其方时效时不效，曰：“吾能治病，不能治命。”一日，降牛丈希英家，有乞虚损方者。仙判曰：“君病非药所能治，但遏除嗜欲，远胜于草根树皮。”又有乞种子方者，仙判曰：“种子有方，并能神效。然有方与无方同，神效亦与不效同。夫精血化生，中含欲火，倘毒发为痘，十中必损其一二。况助以热药，抟结成胎，其蕴毒必加数倍。故每逢生痘，百不一全。人徒于夭折之时，惜其不寿，而不知未生之日，已先伏必死之机。生如不生，亦何贵乎种耶？此理甚明，而昔贤未悟。山人志存济物，不忍以此术欺人也。”其说中理，皆医家所不肯言，或真有灵鬼凭之欤？

又闻刘季箴先生尝与论医，乩仙曰：“公补虚好用参。夫虚证种种不同，而参之性则专有所主，不通治各证。以藏府而论，参惟至上焦、中焦，而下焦不至焉；以荣卫而论，参惟至气分，而血分不至焉。肾肝虚与阴虚，而补以参，庸有济乎？岂但无济，亢阳不更煎铄乎？且古方有生参、熟参之分，今采参者得即蒸之，何处得有生参乎？古者参出于上党，秉中央土气，故其性温厚，先入中宫。今上党参竭，惟用辽参，秉东方春气，故其性发生，先升上部。即以药论，亦各有运用之权。愿公审之。”季箴极不以为然。余不知医，并附录之，待精此事者论定焉。

【译文】

听先父姚安公说，从前有个人用扶乩的方式来治病，仙称自己为“芦中人”。有人就问：“难道您就是伍子胥吗？”这位仙人说：“那是他的暗语，而我真的是以此为号。”仙人的药方有时见效，有时不能见效，他说：“我只能治病，但不能救命。”有一天，这位仙人降临到牛希英家，有人就向他乞求治疗虚亏的药方。他说：“你的病不是药物能够治好的，只要您戒除欲念，比服用草根树皮要好得多。”又有一个向他乞求治疗天花的药方的，仙人说：“治天花自有药方，并能见神效。然而有药方和无药方是相同的，有神效与无神效也是相同的。本来胎儿是精血化生的，其中就包含有欲火，假使毒生成痘，十有一二要夭折。何况您还要用热药相助，使之抟结成胎，其中所包含的毒物就会增加数倍。所以每碰到生天花的，百人中无一人能幸存。人们只知道在孩子夭折时，痛惜他命不长，却不知道在他未生之时，就留下了祸根，生下来还不如不出生，又何必对这种痘如此重视呢？本来这道理很明白，可惜过去的贤士们都不知道。我立志普救万物，也不忍心用此术去蒙骗别人。”他的这种看法合乎道理，却是许多医学家不肯明说的，或许真有神灵,依凭在乩坛上吗?

我又听说刘季箴先生曾经与他谈论过医道,这仙人说:“您喜欢用人参去补虚亏,却不知虚亏之症有许多种,而人参则有专治,并不能通治各症。就脏府而言,人参的力量有上焦、中焦,却不能达到下焦。以荣卫而言,人参药力只能达气分,而血分是达不到的。那些是肾虚和阴亏的人,用人参去补,怎会有好处呢?它不但没有帮助,阳气不是更受煎铄了吗?况且,古时药方中有生参和熟参之分。如今采人参的人采到后便立刻蒸熟,哪里还有生参呢?古时候人参产在上党,兼有中央的土气,所以药性温厚,先入中宫。如今上党参的土气已经衰竭,只好用辽参。而辽参兼有东方的春气,因此药性发生时,先到上部。即使以药而论,也是各有所用的。但愿您能慎重应用。”季箴很不以为然。我不懂医道,就一同记录了下来,让那些精通此道的人去讨论确定吧!

鬼求人

【原文】

老儒刘挺生言：东城有猎者，夜半睡醒，闻窗纸淅淅作响，俄又闻窗下窸窣声。披衣叱问，忽答曰："我鬼也，有事求君，君勿怖。"问其何事，曰："狐与鬼自古不并居，狐所窟穴之墓，皆无鬼之墓也。我墓在村北三里许，狐乘我他往，聚族居之，反驱我不得入。欲与斗，则我本文士，必不胜。欲讼诸土神，即幸而得申，彼终亦报复，又必不胜。惟得君等行猎时，或绕道半里，数过其地，则彼必恐怖而他徙矣；然倘有所遇，勿遽殪获，恐事机或泄，彼又修怨于我也。"猎者如其言，后梦其来谢。

夫鹊巢鸠据，事理本直。然力不足以胜之，则避而不争；力足以胜之，又长虑深思而不尽其力。不求幸胜，不求过胜，此其所以终胜欤！孱弱者遇强暴，如此鬼可矣。

【译文】

听老儒生刘挺生说，东城有个猎户，半夜睡醒时，忽然听到窗纸淅淅作响，不一会儿，又听到窗下有窸窣的响声。猎人披上衣服叱问是谁，只听到外面回答说："我是个鬼，我是有事求您相助的，您不要害怕。"他问有什么事，鬼说："自古以来狐狸和鬼不同居在一起的，狐狸住的墓穴绝对没有鬼。我的墓穴在村北三里的地方，狐狸趁我不在聚集群居到那里的，反而把我赶出来了。本来我想同它们争斗，但我本是一个文弱书生，一定打不赢它们。想去告诉土神，替我申冤，但它们终究还要来报复的，最终还是我打不赢。只希望您在打猎时，或者能绕道半里，从那里经过几次，它们看到您必定会惊恐，然后搬到别处去的。但是，万一您遇到它们，千万不要立刻杀死。恐怕消息一泄露，它们又要怨恨我。"猎户按他的话办了，后来又梦见他来道谢。

鹊巢鸠据，是非曲直本来非常明显。然而，如果力气不足以制胜的，就退避不与它争斗；如果力气能致胜的话，应深思熟虑而不能竭尽全力去莽干。不求侥幸制胜，也不求过分胜过别人，这就是那鬼最终得胜的原因吧！如果弱者遇到强暴，我想只要像那个鬼一样做就可以了。

多事鬼

【原文】

老仆刘琪言：其妇弟某，尝独卧一室，榻在北牖。夜半觉有手扪搎，疑为盗。惊起谛视，其臂乃从南牖探入，长殆丈许。某故有胆，遽捉执之。忽一臂又破棂而入，径批其颊，痛不可忍。方回手支拒，所捉臂已掣去矣。闻窗外大声曰："尔今畏否？"方忆昨夕林下纳凉，与同辈自称不畏鬼也。

鬼何必欲人畏？能使人畏，鬼亦复何荣？以一语之故，寻衅求胜，此鬼可谓多事矣。裘文达公尝曰："使人畏我，不如使人敬我。敬发乎人之本心，不可强求。"惜此鬼不闻此语也。

【译文】

听老仆人刘琪说，他老婆的弟弟，曾一个人住一间房子，他的床放在北窗下。有一天半夜，他感觉到有只手在他的身上乱摸，开始他怀疑是小偷，等他惊醒来仔细一看，只见那只胳膊是从南窗探进来的，几乎有一丈多长。由于他平素胆大，便抓住那只手不放。忽然又有只胳膊破窗而入，直打他的脸颊，痛不可忍。他回手去反抗时，被抓住的那只手抽了回去。只听到窗外有人大声说："如今你该怕了吧？"这时他才记起昨天晚上和同伴在树下乘凉时，对他们说自己从来不怕鬼。

鬼为什么要让人害怕他呢？能叫人害怕，鬼又有什么荣耀的呢？因为一句话的缘故，就去寻衅求胜，这个鬼也够多事的。裘文达公曾经说："让人畏惧我还不如让人尊敬我。因为尊敬是发自人的本心，不是可以强求得来的。"可惜这个鬼没有听到这些话。

杏花精

【原文】

益都朱天门言：有书生僦住京师云居寺，见小童年十四五，时来往寺中。书生故荡子，诱与狎，因留共宿。天晓，有客排闼入。书生窘愧，而客若无睹。俄僧送茶入，亦若无睹。

书生疑有异，客去，拥而固问之。童曰："公勿怖，我实杏花之精也。"书生骇曰："子其魅我乎？"童曰："精与魅不同。山魈厉鬼，依草附木而为祟，是之谓魅。老树千年，英华内聚，积久而成形，如道家之结圣胎，是之谓精。魅为人害，精则不为人害也。"问："花妖多女子，子何独男？"曰："杏有雌雄，吾故雄杏也。"又问：

“何为而雌伏？”曰：“前缘也。”又问：“人与草木安有缘？”惭沮良久，曰：“非借人精气，不能炼形故也。”书生曰：“然则子仍魅我耳。”推枕遽起，童亦艴然去。此书生悬崖勒马，可谓大智慧矣。其人盖天门弟子，天门不肯举其名云。

【译文】

益都的朱天门讲，有个书生寄居在京师的云居寺中，看到一个十四五岁的童子常常来往于寺中。那书生本来是个浪荡公子，于是引诱童子与他亲热、鬼混，于是把他留在寺中一起住。天亮时，有位客人推门进来，书生一时不好意思，难堪极了，但客人跟什么也没看见似的。不久，僧人送来茶饭，也好像没看见。

书生顿起疑心，等客人走开，就抱起童子追问是什么原因。童子说：“您不要害怕，我其实是杏花精。”书生一听，大惊地问：“你是来媚惑我的？”童子说：“精与鬼不同，山林厉鬼，依附草木作恶，这才叫魅。千年的老树，英华内聚，时间长了成了人形，如同道家结为圣胎，这叫精。魅危害人，精是不害人的。”书生问：“花妖一般都是女子，为什么唯独你是男子呢？”童子说：“杏树有雄有雌，我是雄杏。”书生又问：“你为什么像女人一样取悦男人呢？”童子说：“这是前缘。”书生问：“人与草木之间会有前缘吗？”童子丑愧沮丧了好一阵子才说：“不借助人的精液，我不可能修炼成人形。”书生说：“那么你还是在媚惑我了。”立即推开枕头起来，童子也很不高兴地走了。这书生能悬崖勒马，可以说是很明智了。他大概是朱天门的弟子，天门不肯说出他的名字。

自贻伊戚

【原文】

甲与乙相善，甲延乙理家政。及官抚军，并使佐官政，惟其言是从。久而资财皆为所干没，始悟其奸，稍稍谯责之。乙挟甲阴事，遽反噬。甲不胜愤，乃投牒诉城隍。夜梦城隍语之曰："乙险恶如是，公何以信任不疑？"甲曰："为其事事如我意也。"神喟然曰："人能事事如我意，可畏甚矣。公不畏之而反喜之，不公之绐而绐谁耶？渠恶贯将盈，终必食报。若公则自贻伊戚，可无庸诉也。"此甲亲告姚安公者。事在雍正末年。甲滇人，乙越人也。

【译文】

甲与乙交情很好，于是甲请乙管理家政。甲官至巡抚时又让乙辅佐官务，什么都听乙的。久而久之，财产都被乙吞没，甲到这时才明白乙的奸诈，稍微露出斥责的意思。乙就用甲的隐私要挟，反咬一口。甲盛怒之下向城隍投状诉冤。夜里梦到城隍对他说："乙如此奸猾险恶，你凭什么还信任他呢？"甲说："因为他事事如我意。"神仙叹道："别人能事事如我意，这是最可怕的呀。你不怕他，反而喜欢他，那他不骗你又骗谁呢？他恶贯满盈，最终必有报应。至于你，这些都是自找苦吃，不必再申诉了。"这是甲亲口告诉姚安公的。这事发生在雍正末年。甲是云南人，乙是浙江人。

某翰林

【原文】

同年项君廷模言：昔尝馆翰林某公家，相见辄讲学。一日，其同乡为外吏者，有所馈赠。某公自陈平生俭素，雅不需此。见其崖岸高峻，遂逡巡携归。某公送宾之后，徘徊厅事前，怅怅惘惘，若有所失，如是者数刻。家人请进内午餐，大遭诟怒。忽闻有数人吃吃窃笑，视之无迹，寻之声在承尘上，盖狐魅云。

【译文】

我的同年项廷模说，他曾经寓居某个翰林家，一见面，翰林就跟他谈论学问。一天，他有个在外做官的同乡，赠送了他一些东西，这位翰林自称平生节俭朴素，实在不需要这些东西。同乡见他态度坚决，便犹豫地将东西带走了。翰林送走客人之后，在客厅里来来回回地走着，怅惘不已，若有所失，像这样一直过了几刻钟。家人请他进去吃午饭，被他大骂一顿，忽然听到有几个人在偷偷地笑，他抬眼张望，却没有发现什么人。仔细查询，声音是从顶棚上传来的，大概是狐精。

胥魁遇报

【原文】

胥魁有善博者，取人财犹探物于囊，犹不持兵而劫夺也。其徒党密相羽翼，意喻色授，机械百出，犹臂指之相使，犹呼吸之相通也。騃竖多财者，则犹鱼吞饵，犹雉遇媒耳。如是近十年，橐金巨万。俾其子贾于长芦，规什一之利。子亦狡黠，然冶荡好渔色。有堕其术而破家者，衔之次骨，乃乞与偕往，而阴导之为北里游。舞衫歌扇，耽玩忘归，耗其资十之九。胥魁微有所闻，自往检校，已不可收拾矣。论者谓是虽人谋，亦有天道。仇者之动此念，殆神启其心欤？不然，何前愚而后智也？

【译文】

有个官府班头擅长赌钱，赢别人的钱就像把手伸进袋子里取东西一样，如同不需拿兵器而进行抢劫。他和下属同党互相勾结，在赌场相互暗示，使出各种手段，配合得就像自己的手臂指挥手指，犹如呼吸相互通畅。那些头脑笨拙而家有万贯的富人，遇上他就像鱼吞食诱饵、野鸡遇上机关。像这样，他一直干了将近十年，积累了巨万资金。他派他的儿子到长芦做买卖，规定取十分之一的利润。他的儿子也很狡猾，然而生性放荡，喜好美色。有一个被他弄得倾家荡产的人，恨他入骨，于是请求和他的儿子一同前往，暗地里诱使他的儿子出入妓院，沉溺于欢乐场中不思回归，竟然耗去了他十分之九的家产。班头略微听到了一些传闻，于是亲自去查看，已经一塌糊涂，不可收拾了。人们评论这件事说，虽然是别人设的计，但也有天意。报仇的那个人起这种念头，大概是受了神的启发吧？不然，为什么他以前那么笨，而后来这么聪明呢？

圆光术

【原文】

世有圆光术，张素纸于壁，焚符召神，使五六岁童子视之。童子必见纸上突现大圆镜，镜中人物历历示未来之事，犹卦影也。但卦影隐示其象，此则明著其形耳。

庞斗枢能此术，某生素与斗枢狎，尝觊觎一妇，密祈斗枢圆光，观谐否。斗枢骇曰："此事岂可渎鬼神？"固强之，不得已，勉为焚符。童子注视良久，曰："见一亭子中设一榻，三娘子与一少年坐其上。"三娘子者，某生之亡妾也。方诟责童子妄语，斗枢大笑曰："吾亦见之。亭中尚有一匾，童子不识字耳。"怒问："何字？"曰："'己所不欲'四字也。"某生默然，拂衣去。或曰："斗枢所焚实非符，先以饼饵诱童子，教作是语。"是殆近之。虽曰恶谑，要未失朋友规过之义也。

【译文】

世上有一种圆光术，把一张白纸贴在墙上，焚烧符箓召来神仙，让五六岁的孩子来看。孩子一定能看见纸上突然出现一面大圆镜，镜中的人物，一件一件地显示未来的事，就像古时候的卦影术。但卦影术只是隐晦地显示形象，而这种术数却能明白地显示形象。

庞斗枢会这种法术，某位书生平常跟他很亲近，这位书生曾经觊觎过一位妇人，暗地里祈求庞斗枢使用圆光术，预测他是否能够成功。庞斗枢惊异地说："怎么可以用这种事情来亵渎鬼神呢？"可书生一再强求，庞斗枢不得已，勉为其难焚烧符箓，小孩子注视了半天才说："我看见一个亭子，中间摆着一张床，三娘子和一个少年坐在床上。"三娘子是书生死去的小妾。这位书生刚要责骂小孩子乱讲，庞斗枢大笑着说："我也看见了。亭子中间还有一块匾，小孩子不认识字罢了。"书生生气地问："什么字？"庞斗枢回答："己所不欲。"书生默然不语，拂袖而去。有的人说，庞斗枢所焚烧的并不是符箓，他先用饼哄小孩子，让小孩子说的那些话。大概是这样吧。虽说玩笑开得过分了，但还是不失为规劝朋友改正过错的好办法。

血盆经

【原文】

帝王以刑赏劝人善，圣人以褒贬劝人善。刑赏有所不及，褒贬有所弗恤者，则佛以因果劝人善。其事殊，其意同也。缁徒执罪福之说，诱胁愚民，不以人品邪正分善恶，而以布施有无分善恶，福田之说兴，瞿昙氏之本旨晦矣。

闻有走无常者，以血盆经忏有无利益问冥吏。冥吏曰："无是事也。夫男女构精，万物化生，是天地自然之气，阴阳不息之机也。化生必产育，产育必秽污，虽淑媛贤母，亦不得不然，非自作之罪也。如以为罪，则饮食不能不便溺，口鼻不能不涕唾，是亦秽污，是亦当有罪乎？为是说者，盖以最易惑者惟妇女，而妇女所必不免者惟产育，以是为有罪，以是罪为非忏不可，而闺阁之财，无不充功德之费矣。尔出入

冥司，宜有闻见，血池果在何处？堕血池者果有何人？乃犹疑而问之欤！”走无常后以告人，人讫无信其言者。积重不返，此之谓矣。

【译文】

帝王用刑罚奖赏来劝人向善，圣人用褒扬贬斥来劝人向善。刑罚奖赏和褒扬贬斥也有达不到的地方。而佛家则用因果的说法来劝人向善。它们的方式不一样，但主旨是相同的。出家人用消罪求福的说法，诱骗威胁愚昧的百姓，不以人品的正直邪恶来区分善恶，而以布施的有无与多少来区分善恶。买所谓福田的作法兴盛，释迦牟尼的本意被掩盖了。

听说有个去过阴间的人，以念《血盆经》忏悔有没有好处，来问阴间的官吏。阴间的官吏说：“没有这种事。男女结合，万物化生，这是天地间自然的道理，阴阳运动不停息的机因。化生必须经过产育，产育必然会有秽污。即使是贤妻良母也不得不这样，并不是自己的罪孽。如果认为这也是有罪，那么饮食就不能不便溺，有口鼻就不能没有鼻涕唾液，这也是秽污，这也有罪吗？持这种说法的人，大概认为最容易受骗的是妇女，而妇女必定不能避免的只有产育，把这些当成罪过，认为这种罪过必须忏悔，那么妇女的钱财，全都成了做功德之事的费用。你出入阴间，应当有所见闻，血池究竟在哪里？堕入血池的究竟是什么人？却还对此怀疑而来询问！”他从阴间回来后，把这些告诉人们，迄今为止，还没有人相信他。积重难返，大概就是这个意思吧！

不传闲话之狐

【原文】

沧州瞽者蔡某，每过南山楼下，即有一叟邀之弹唱，且对饮。渐相狎，亦时到蔡家共酌。自云姓蒲，江西人，因贩磁到此。久而觉其为狐，然契分甚深，狐不讳，蔡亦不畏也。

会有以闺阃蜚语涉讼者，众议不一。偶与狐言及，曰："君既通灵，必知其审。"狐艴然曰："我辈修道人，岂干预人家琐事？夫房帏秘地，男女幽期，暧昧难明，嫌疑易起。一犬吠影，每至于百犬吠声。即使果真，何关外人之事？乃快一时之口，为人子孙数世之羞。斯已伤天地之和，召鬼神之忌矣。况杯弓蛇影，恍惚无凭，而点缀铺张，宛如目睹。使人忍之不可，辩之不能，往往致抑郁难言，含冤毕命。其怨毒之气，尤历劫难消。苟有幽灵，岂无业报？恐刀山剑树之上，不能不为是人设一坐也。汝素朴诚，闻此事自当掩耳。乃考求真伪，意欲何为？岂以失明不足，尚欲犁舌乎？"投杯径去，从此遂绝。蔡愧悔，自批其颊，恒述以戒人，不自隐匿也。

【译文】

沧州盲人蔡某，每次经过南山楼下，就有一位老翁邀他弹唱，并一同饮酒。二人关系逐渐亲密起来，老翁也时常到蔡家起饮酒。老者自称姓蒲，江西人，因贩卖瓷器到此地。相处久了，蔡某觉察出他是狐仙。但交情深了，狐仙也就承认不讳，蔡某也不觉得有什么可怕。

恰巧有一桩因闺阁之事引起的诉讼案，人们议论纷纭。蔡某偶然对狐仙讲到这事，说："先生既然通灵，一定知道这事的详情吧。"狐仙不高兴地说："我们是修道之人，怎能干预人家的琐事？况且闺房秘地，男女幽会之事暧昧难明，容易引起嫌疑。就如一犬吠影，往往导致百犬吠声。即使是真事，又与外人有什么相干？只图自己一时嘴上痛快，给人家造成子孙几代的羞辱，这是伤天地和气、招鬼神忌恨的事。况且杯弓蛇影，恍惚无凭，人们添枝加叶，好像亲眼看见似的。这会使当事人忍不能忍，辩不能辩，往往导致抑郁难言，含冤而亡。亡者的怨愤之气长期难消，如果地下有灵，怎能不图报复？恐怕在阴间的刀山剑树之上，会为这种人留下一个地方。你一向朴实诚恳，听到这种事，应该掩耳避开才是。反去考求它的真伪，你想做什么呢？难道你失明了还不够，还想割掉舌头吗？"狐仙说罢丢下酒杯径直离去，从此不再与蔡某来往了。蔡某十分惭愧后悔，自打耳光，常常讲述狐仙的这番话，以告诫世人，一点也不隐讳。

捉　贼

【原文】

余在乌鲁木齐日，骁骑校萨音绰克图言：曩守红山口卡伦，一日将曙，有乌哑哑对户啼。恶其不吉，引骹矢射之。嗷然有声，掠乳牛背上过。牛骇而奔，呼数卒急追。入一山坳，遇耕者二人，触一人仆。扶视无大伤，惟足跛难行。问其家不远，共舁送归。入室坐未定，闻小儿连呼有贼。同出助捕，则私逃遣犯韩云，方逾垣盗食其瓜，因共执焉。

使乌不对户啼，则萨音绰克图不射；萨音绰克图不射，则牛不惊逸；牛不惊逸，则不触人仆；不触人仆，则数卒不至其家；徒一小儿见人盗瓜，其势必不能执缚。乃辗转相引，终使受絷伏诛。此乌之来，岂非有物凭之哉？盖云本剧寇，所劫杀者多矣。尔时虽无所睹，实与刘刚遇鬼因果相同也。

【译文】

我在乌鲁木齐时，听骁骑校萨音绰克图讲，过去他驻守红山口卡伦，一天天快亮时，有只乌鸦对着门哑哑啼叫。他讨厌乌鸦叫，觉得不吉利，就用箭去射它。乌鸦怪叫一声，从小牛背上疾飞而过，牛受惊吓奔跑起来。他招呼几个士兵急忙追赶。追进一个山坳，遇见两个耕地的农夫，牛将其中一人碰倒。扶起来一看，没有大伤，只是脚跛了难以行走。问知农夫家离这儿不远，就一起抬着送他回家。进了农夫家门还没坐定，就听见一个小孩连呼“有贼”。士兵们一同出门追捕，竟是在逃犯韩云。他跳过墙来偷瓜吃，大家一拥而上捉住了他。

假使乌鸦不对着门啼叫，则萨音绰克图不会射它；不射乌鸦，牛就不会奔逃；牛不奔逃，就不会碰倒农夫；不碰倒农夫，士兵也不会到农夫家；如果只是一个小孩看见有人偷瓜，也不可能将盗贼捉住。就这样辗转引导，终使盗贼被捕受到制裁。这只乌鸦的到来，莫非是受了什么东西的指引？大概韩云本是一个大盗，多次劫物杀人。当时虽没有被发现，但实际上与刘刚遇鬼的因果一样。

七件悬案

【原文】

门人萧山汪生辉祖，字焕曾，乾隆乙未进士，今为湖南宁远县知县。未第时，久于幕府，撰《佐治药言》二卷。中载近事数条，颇足以资法戒。

其一曰：孙景溪先生，讳尔周。令吴桥时，幕客叶某，一夕方饮酒，偃仆于地，历二时而苏。次日闭户书黄纸疏，赴城隍庙拜毁，莫喻其故。越六日，又偃仆如前。良久复起，则请迁居于署外。

自言八年前在山东馆陶幕，有士人告恶少调其妇。本拟请主人专惩恶少，不必妇对质。而同事谢某，欲窥妇姿色，怂恿传讯。致妇投缳，恶少亦抵法。今恶少控于冥府，谓妇不死，则渠无死法，而妇死由内幕之传讯。馆陶城隍神移牒来拘，昨具疏申辩，谓妇本应对质，且造意者为谢某。顷又移牒，谓："传讯之意，在窥其色，非理其冤。念虽起于谢，笔实操于叶。谢已摄至，叶不容宽。余必不免矣。"越夕而殒。

其一曰：浙江臬司同公言：乾隆乙亥秋审

时，偶一夜潜出，察诸吏治事状。皆已酣寝，惟一室灯独明。穴窗窃窥，见一吏方理案牍，几前立一老翁、一少妇。心甚骇异，姑视之。见吏初草一签，旋毁稿更书，少妇敛衽退。又抽一卷，沉思良久，书一签，老翁亦揖而退。

传诘此吏，则先理者为台州因奸致死一案。初拟缓决，旋以身列青衿，败检酿命，改情实。后抽之卷为宁波叠殴致死一案。初拟情实，旋以索逋理直，死由还殴，改缓决。知少妇为捐生之烈魄，老翁为累囚之先灵矣。

其一曰：秀水县署有爱日楼，板梯久毁，阴雨辄闻鬼泣声。一老吏言：康熙中，令之母喜诵佛号，因建此楼。雍正初，有令挈幕友胡姓来，盛夏不欲见人，独处楼中。案牍饮食，皆缒而上下。一日，闻楼上惨号声。从者急梯而上，则胡裸体浴血，自刺其腹，并碎劙周身如刻画。自云曩在湖南某县幕，有奸夫杀本夫者，奸妇首于官。吾恐主人有失察咎，以访拿报，妇遂坐磔。顷见一神引妇来，剚刃于吾腹，他不知也。号呼越夕而死。

其一曰：吴兴某，以善治钱谷有声。偶为当事者所慢，因密讦其侵盗，阴事于上官，竟成大狱。后自啮其舌而死。

又无锡张某，在归安令裘鲁青幕。有奸夫杀本夫者，裘以妇不同谋，欲出之。张大言曰：

“赵盾不讨贼为弑君，许止不尝药为弑父，《春秋》有诛意之法。是不可纵也。”妇竟论死。后张梦一女子，被发持剑，搏膺而至曰：“我无死法，汝何助之急也？”以刃刺之。觉而刺处痛甚，自是夜夜为厉，以至于死。

其一曰：萧山韩其相先生，少工刀笔，久困场屋，且无子，已绝意进取矣。雍正癸卯，在公安县幕，梦神人语曰：“汝因笔孽多，尽削禄嗣。今治狱仁恕，赏汝科名及子，其速归。”未以为信，次夕梦复然。时已七月初旬，答以试期不及。神曰：“吾能送汝也。”寤而急理归装，江行风利，八月初二日竟抵杭州。以遗才入闱中式。次年，果举一子。

焕曾笃实有古风，其所言当不妄。

【译文】

我的门生萧山人汪辉祖，字焕曾，是乾隆四十年考中的进士，现任湖南宁远县知县。没考上进士之前，他长期做幕僚，曾撰《佐治药言》二卷。其中记载几件近年之事，很值得引以为鉴。

其一说：孙景溪先生名尔周，任吴桥县令时，有个幕僚叶某，一天晚上正在喝酒，忽然昏倒在地，过了两个时辰才醒来。第二天，他闭门用黄纸书写了一篇呈文，拿到城隍庙祭拜后焚烧了，没人知道其中缘故。过了六天，叶某又如前次一样昏倒在地，很久才醒来，于是请求迁居到府外去。

他说：八年前在山东馆陶县做幕僚，有位士子控告一个恶少调戏了他妻子。本来打算报请县令只惩治恶少，不必让士子妻出堂对质。但另一幕僚谢某却想看看士子妻姿色如何，怂恿叶某传讯她。结果士子妻上吊而死，恶少也按罪抵命。现在恶少在阴间控告说，那女人若不死，他便没有死罪；而女人的死是衙门传讯引起的。馆陶县城隍神发来文牒拘审叶某。昨天呈文申辩说："那女人本应出庭对质。况且出此主意的是谢某。"很快，城隍神又来文说："传讯那女人是要看人家姿色，不是为人家申冤。这念头虽然起于谢某，但笔却操在叶某手里。谢某已经拘拿到此，叶某也不能宽恕。"我是逃不过去了。第二天晚上果然死去。

其一说：浙江按察使同公讲，乾隆二十年秋季复审各省死刑犯时，有天夜晚出门，暗察属下官吏办案情况。大部分都已睡了，只有一个房间还灯烛明亮。他在窗上挖个孔向里窥视，见一官吏正在翻阅案卷，几案前站着一个老翁和一少妇。心里很惊诧，仍接着往下看。只见官吏先写了一张判决书，后来撕毁了又重新书写。那少妇恭敬地退下去了。官吏又抽出一份案卷，沉思了许久，书写了一张判决书。老翁也作揖退去。

后来同公传问了这位官吏，得知先审理的是台州的强奸致死案。开始判定缓期处决，后来考虑到奸污犯是读书人，却德行败坏致人死命，所以改判为立斩。后审理的是宁波斗殴致死案。开始判为立斩，后考虑到杀人者去讨债很正常，自卫还击欠债者的无理殴打而致伤人命，所以改判为缓期处决。同公才知那少妇是宁死不失节的烈女魂魄，那老翁是在押死刑犯的亡父。

其一说：秀水县衙有座爱日楼，楼梯板早已毁坏，每逢阴雨天就会听见鬼哭。一位老吏讲，康熙年间，一位县令的母亲喜好念经，于是修建了这座楼。雍正初年，有位县令携同他的幕友胡某来上任。盛夏时节不想见人，便独居楼上。他所用的书籍、案卷和食物，都用绳子吊上吊下。一天，听见楼上发出惨叫声。手下人急忙搭梯而上，见胡某赤身裸体浑身是血，正拿刀刺自己的肚子，并在身上乱刻乱画。胡某自己说以前在湖南某县做幕僚，有一桩案子是奸夫杀了本夫，奸妇向官府自首了。我怕县令责怪我失察，就上报说拿住了奸夫奸妇。奸妇于是被分尸。刚才我看见一位神领着那奸妇来此，用刀刺我腹部，便人事不知了。胡某呼叫了一天一夜后死去。

其一说：吴兴某县吏以善于治理钱财粮税著名。一个同事偶然怠慢了他，他就向上司密告同事贪污盗窃，致使同事入了大狱。后来这个县吏竟咬烂自己的舌头而死。

又，无锡的张某在归安县令裘鲁青府上做幕僚。有个奸夫杀了本夫，裘县令认为奸妇并未参与谋杀而要释放她。张某大声辩说："赵盾没有讨伐弑君者，就是弑君；许世子为父亲进药而没尝，就是弑父。《春秋》中有追究动机之法，因此奸妇不能宽恕。"结果奸妇被处死了。后来张某梦见一女子披头散发，手持利剑来到他面前说："我本无死罪，你为什么非要我死不可？"说着就用刀刺他。张某惊醒，觉得被刺的地方很痛，从此夜夜有此恶梦，直到死去。

其一说：萧山人韩其相，少年时就擅长为文，但他屡屡应试落第，年长后又无子嗣，他已经没有进取功名之心了。雍正元年，韩先生在公安县做幕僚，梦见神对他说："你因为笔下的罪孽太多，被剥夺了官禄和子嗣。现在你治狱办案仁义宽恕，将赏赐你科考功名和儿子。赶快启程赴试吧。"韩不敢全信，第二天晚上又做了此梦。当时已是七月上旬，他说去赶考已来不及了。神说："我能送你。"醒后，他急忙整理行装启程。船行江中一路顺风，八月初二竟然到达了杭州，作为遗才入选中举。第二年果然又得一个儿子。

汪辉祖治学严谨踏实，所讲的事情应当不会是妄言胡说。

布商韩某

【原文】

汪御史香泉言:布商韩某,昵一狐女,日渐尪羸。其侣求符箓劾禁,暂去仍来。一夕,与韩共寝,忽披衣起坐曰:“君有异念耶?何忽觉刚气砭人,刺促不宁也?”韩曰:“吾无他念。惟邻人吴某,迫于债负,鬻其子为歌童。吾不忍其衣冠之后沦下贱,措四十金欲赎之,故辗转未眠耳。”狐女蹷然推枕曰:“君作是念,即是善人。害善人者有大罚,吾自此逝矣。”以吻相接,嘘气良久,乃挥手而去。韩自是壮健如初。

【译文】

据御史汪香泉说,布商韩某与一狐女亲昵,身体一天天瘦弱起来。伙伴求得符箓加以禁止,那狐女离开没有多久又回来了。一天夜晚,她与韩某共寝时,忽然披衣坐起说:“你有异心吗?为什么我觉得刚气逼人,刺得我不能安宁呢?”韩某说:“我并无他念,只是邻居吴某迫于负债,将儿子卖作歌童。我不忍读书人的后代沦为下贱人,便想筹措四十两银子将他赎回来,因此辗转难眠。”狐女急忙推开枕头说:“你做这样的打算就是善人,戕害善人会受大处罚,我从此去了。”于是她与韩某口对口,嘘了好一会儿气才挥手离去。韩某从此后身体又像原先那样健壮了。

奇　谋

【原文】

至危至急之地，或忽出奇焉；无理无情之事，或别有故焉。破格而为之，不能胶柱而断之也。

吾乡一媪，无故率媪姬数十人，突至邻村一家，排闼强劫其女去。以为寻衅，则素不往来；以为夺婚，则媪又无子。乡党骇异，莫解其由。女家讼于官，官出牒拘摄。媪已携女先逃，不能踪迹，同行婢媪，亦四散逋亡。缧绁多人，辗转推鞫，始有一人吐实，曰："媪一子病瘵垂殁，媪抚之恸曰：'汝死自命，惜哉不留一孙，使祖父竟为馁鬼也。'子呻吟曰：'孙不可必得，然有望焉。吾与某氏女私昵，孕八月矣，但恐产必见杀耳。'子殁后，媪咄咄独语十余日，突有此举，殆劫女以全其胎耶？"官怃然曰："然则是不必缉，过两三月自返耳。"届期果抱孙自首。官无如之何，仅断以不应重律，拟杖纳赎而已。

此事如兔起鹘落，少纵即逝。此媪亦捷疾若神矣。安静涵言：其携女宵遁时，以三车载婢媪，与己分四路行，故莫测所在。又不遵官路，横斜曲折，歧复有歧，故莫知所向。且晓行夜宿，不淹留一日，俟分娩乃税宅，故莫迹所居停。其心计尤周密也。女归，为父母所弃，遂偕媪抚孤，竟不再嫁。以其初涉溱洧，故旌典不及，今亦不著其氏族焉。

【译文】

当人处在危险紧迫的时候，也许会忽出奇谋；有些不合乎情理的事情，或许会另有缘故。反常的事情，不能墨守成规地加以判断。

我家乡有个老妇，无缘无故带着几十个老妇人，突然来到邻村一户人家，闯进门去把这家女儿强劫而去。人们以为是寻衅闹事，但彼此素无来往；以为是夺婚，而老妇又无儿子。邻里很惊异，不知什么缘故。女孩家人告到官府，官府发出通牒追捕，而老妇已携女先逃，不知踪迹，同案老婢妇人也已四散逃走。抓获多人，经辗转审讯，才有一人吐出实情，说："老妇有个儿子病危将死，老妇抚着他痛哭道：'你死是你的命，只可惜没为我留下一个孙子，你的祖父要当饿鬼了。'儿子呻吟着说：'孙子不能肯定得到，但仍有希望。我与某家女私通，她已有八个月身孕，只怕生下后孩子会被杀。'儿子死后，老妇自言自语了十来天，才突然有此举动。大概劫走女子是为了保全胎儿吧！"县官慨叹说："既然是这样，就不必通缉了，两三个月后她就会回来的。"届时老妇果然抱着孙子来自首。县官无可奈何，只判决不应定重罪，只处以杖责，用钱赎打而已。

这事来去突然，稍纵即逝，老妇也是迅捷如神。据安静涵说，她携女夜逃时，用三辆车载着其他妇女，与她自己共分四路走，因而不知她在哪一路。她不走官道，横斜曲折，叉路中又有叉路，因而也不知她往哪儿去了。况且晓行夜宿，一天也不停，等分娩时才租借住宅，所以查不出停留之处。她的心计是很周密的。某女回来后，被父母抛弃，她便与老妇一同抚养孤儿，竟然不再嫁人。因为她当初私通，因而在表彰贞妇的典册中没有她的名字，这里也不便写出她的家族姓氏。

甲乙相仇

【原文】

甲乙有夙怨，乙日夜谋倾甲。甲知之，乃阴使其党某以他途入乙家。凡为乙谋，皆算无遗策。凡乙有所为，皆以甲财密助其费，费省而功倍。越一两岁，大见信，素所倚任者皆退听。

乃乘间说乙曰："甲昔阴调我妇，讳弗敢言，然衔之实次骨。以力弗敌，弗敢撄。闻君亦有仇于甲，故效犬马于门下。所以尽心于君者，固以报知遇，亦为是谋也。今有隙可抵，盍图之？"乙大喜过望，出多金使谋甲。某乃以乙金为甲行赂，无所不曲到。阱既成，伪造甲恶迹及证佐姓名以报乙，使具牒。比庭鞫，则事皆子虚乌有，证佐亦莫不倒戈。遂一败涂地，坐诬论戍。愤恚甚，以昵某久，平生阴事皆在其手，不敢再举，竟气结死。

死时誓诉于地下，然越数十年卒无报。论者谓难端发自乙，甲势不两立，乃铤而走险，不过自救之兵，其罪不在甲。某本为甲反间，各忠其所事，于乙不为负心，亦不能甚加以罪，故鬼神弗理也。此事在康熙末年。《越绝书》载

子贡谓越王曰："夫有谋人之心，而使人知之者，危也。"岂不信哉！

【译文】

甲乙二人之间有旧怨，乙一门心思想害甲。甲知道后便暗中派他的亲信某人，从其他途径进入乙家。凡是他为乙谋划的事，都算计得没有疏漏；凡是乙要干什么，他都利用甲的钱暗中加以资助，省钱又事半功倍。过了一两年，他极得乙的信任，乙平素所倚重的人都排到他后边了。

于是某人便趁机对乙说："甲过去曾暗中调戏我的媳妇，我瞒着不敢说，但刻骨仇恨他。因力量不敌，所以不敢和他斗。听说你和甲也有仇，所以我便到你门下效犬马之劳。我尽心尽力为你办事，一方面是报答你的知遇之恩，同时也是为了报复。现在有个机会报仇，何不试一试呢？"乙大喜过望，拿出许多钱财让他来算计甲。某人便用这些钱为甲疏通关系，各个关节都打通了。布置好了圈套，某人便伪造甲的恶劣行径和证人姓名告诉了乙，让乙写诉状上告。等到衙门审问时，所有的事都是无稽之谈，证人们也都改口不认账。乙于是一败涂地，因犯诬陷罪被判发配戍边。乙又气又恨，但因为和这个人关系长期以来很亲密，平生的隐私都被他掌握着，因此不敢上告，竟然气闷郁结而死。

乙死时发誓要告到地下，可是过了几十年，还是没有报应。议论这事的人说是乙首先发难，甲与乙势不两立，这才铤而走险。这不过是为了自救，罪过不在甲。某人本来就是为甲使反间计，忠于他所做的事，他对乙也不算负心，也不能把罪责过多地加给他。所以鬼神也不管这事。这事发生在康熙末年。《越绝书》中记载子贡对越王说："有害人之心，又让别人知道，这就危险了。"确实如此啊！

轿　夫

【原文】

尝与杜少司寇凝台同宿南石槽，闻两家轿夫相语曰："昨日怪事，我表兄朱某在海淀为人守墓，因入城未返。其妻独宿，闻园中树下有斗声，破窗纸窃窥，见二人攘臂奋击，一老翁举杖隔之，不能止。俄相搏仆地，并现形为狐，跳踉摆拨，触老翁亦仆，老翁蹶起，一手按一狐呼曰：'逆子不孝，朱五嫂可助我。'朱伏不敢出。老翁顿足曰：'当诉诸土神。'恨恨而散。次夜，闻满园锒铛声，似有所搜捕。觉几上瓦瓶似微动，怪而视之，瓶中小语曰：'乞勿言，当报恩。'朱怒曰：'父母恩且不肯报，何有于我？'举瓶掷门外碑趺上，訇然而碎。即闻嗷嗷有声，意其就执矣。"一轿夫曰："斗触父母倒，是何大事，乃至为土神捕捉？殊可怖也。"凝台顾余笑曰："非轿夫不能作此言。"

【译文】

我曾和杜凝台少司寇在南石槽同宿，听两家轿夫互相在一起交谈，一个说："昨天有件怪事，我的表兄朱某在海淀为人守墓，因为进城去了没有回来。他的妻子朱氏一个人睡觉,听到园中树下有争斗的声音,捅破窗纸偷看,只见两个人拳来脚往,一个老翁拿着手杖阻拦,但拦不住。接着两个人斗倒在地,都现出狐狸原形,跳来跳去,把老翁也撞倒了。老翁起身,一只手按着一只狐狸叫道:'逆子不孝! 朱五嫂快来帮帮我。'朱氏趴着身子不敢出来。老翁跺脚说:'我要告到土地神那里去。'怀恨而去。第二天夜里,只听满园的铃铛撞击声,好像在搜捕什么。朱氏觉得桌上的瓦瓶好像在动,奇怪地去查看。瓶中有人小声说:'求你别说话,我一定报答你。'朱氏发怒说:'父母的恩情都不肯报,对我还能有什么? '于是抓起瓶子摔到门外的碑石上,瓦瓶轰地一声碎了。接着听到嗷嗷的叫声,看来那只狐狸已被捉住了。"另一个轿夫说:"打架把父母碰倒了,这算什么大事,还惊动土地神来抓? 真是太可怕了。"杜凝台笑着对我说:"不是轿夫恐怕说不出这种话来。"

滴血试亲

【原文】

从孙树森言：晋人有以资产托其弟，而行商于外者，客中纳妇，生一子。越十余年，妇病卒，乃携子归。弟恐其索还资产也，诬其子抱养异姓，不得承父业。纠纷不决，竟鸣于官。官故愦愦，不牒其商所问真赝，而依古法滴血试。幸血相合，乃笞逐其弟。弟殊不信滴血事，自有一子，刺血验之，果不合。遂执以上诉，谓县令所断不足据。乡人恶其贪娟无人理，佥曰："其妇夙与某私昵，子非其生，血宜不合。"众口分明，具有征验，卒证实奸状。拘妇所欢鞫之，亦俯首引伏。弟愧不自容，竟出妇逐子，窜身逃去，资产反尽归其兄。闻者快之。

按陈业滴血，见《汝南先贤传》，则自汉已有此说。然余闻诸老吏曰："骨肉滴血必相合，论其常也。或冬月以器置冰雪上，冻使极冷，或夏月以盐醋拭器，使有酸咸之味，则所滴之血，入器即凝，虽至亲亦不合。故滴血不足成信谳。"然此令不刺血，则商之弟不上诉；商之弟不上诉，则其妇之野合生子亦无从而败。此殆若或使之，未可全咎此令之泥古矣。

【译文】

我的侄孙纪树森说，有个山西人把家产托付给弟弟，自己出外经商。他在外娶了妻子，生了一个儿子。十多年后，妻子病逝了，于是带着儿子返回老家。他的弟弟害怕他讨还资产，就诬告说哥哥带回的孩子是抱养的，不能继承父业。兄弟俩为此闹得不可开交，只得告到官府。县令是个昏庸之人，他没有审问商人有关问题的真假，而是依据传统的滴血法来试验。幸好父子的血相合，便把商人的弟弟打了一顿板子赶走了。弟弟很不相信滴血的事，他也有一个儿子，便刺血相验，果然他与儿子的血不相合。于是，他就以此作为证据，说县令的做法是不足为凭的。乡邻都厌恶他贪婪，没有人味儿，便向官府作证说："他媳妇以前跟某人相好，那儿子根本不是他的，因此血不合。"人们说得清清楚楚，也证实有奸情，拘来他妻子的相好一审，对方也认罪。弟弟羞愧得无地自容，竟休了妻子，赶走了儿子，自己弃家外逃，连他的那份家产也一同归了他的哥哥。听说此事的人无不称快。

陈业滴血辨认兄长骸骨的故事，见于《汝南先贤传》。可见从汉朝以来就有这样的说法。然而我听一位老吏说："亲骨肉的血必能相合，这是就一般情况而言。如果在冬天把验血的容器放在冰雪上，冻得使它极凉；或者在夏天用盐醋擦拭容器，使容器有酸咸的味道，那么血一接触容器，就会马上凝结，即使是骨肉至亲的血也不会相合。所以用滴血法断案，并不能断得完全正确。"但是这位县官如果不使用滴血法，那么弟弟就不会上诉；弟弟不上诉，则他妻子私通生子的事就不会败露。这大概另有什么神秘的力量驱使，不能完全责怪这位县官拘泥于古法。

董曲江寓僧寺

【原文】

董曲江前辈言：乾隆丁卯乡试，寓济南一僧寺，梦至一处，见老树下破屋一间，欹斜欲圮。一女子靓妆坐户内，红愁绿惨，摧抑可怜。疑误入人内室，止不敢进。女子忽向之遥拜，泪涔涔沾衣袂，然终无一言。心悸而寤。越数夕，梦复然。女子颜色益戚，叩额至百余。欲逼问之，倏又醒。疑不能明，以告同寓，亦莫解。

一日，散步寺园，见庑下有故柩，已将朽。忽仰视其树，则宛然梦中所见也。询之寺僧，云是某官爱妾，寄停于是，约来迎取，至今数十

年，寂无音问。又不敢移瘗，旁皇无计者久矣。曲江豁然心悟。故与历城令相善，乃醵金市地半亩，告于官而迁葬焉。用知亡人以入土为安，停搁非幽灵所愿也。

【译文】

据前辈董曲江先生说，乾隆十二年他参加乡试，住在济南的一座庙里。梦中来到一个地方，看见一棵老树下有一间破屋，摇摇欲坠。屋里坐着一个浓妆女子，面目凄惨可怜。董先生以为自己误入人家内室，就止步不敢进去。那女子忽然向他遥遥地跪拜，泪珠洒落在衣衫上，但始终没说一句话。董先生惊悸而醒。过了几个晚上，他又做了同样的梦，那女子的容颜更加凄苦，向他磕了上百个头。董先生想问她，却忽然又醒了。董先生不知是怎么回事，告诉同住的人，也无法解释。

有一天，董先生在寺园散步，见廊檐下停着一口旧棺材，已将腐朽。他猛一抬头，面前有一棵老树，好像就是梦中所见。问庙里的和尚，告诉他说这是某官的一位爱妾，寄存在此，约好来取的，如今已经有几十年了，却杳无音信。又不敢移葬，不知怎么处理，已经很久了。董先生心里豁然明白了。董先生与历城县令是旧交，便筹集了部分资金，买了半亩地，并与地方打了招呼，迁葬了。由此可知，死去的亡灵都以入土为安，停搁太久是幽灵所不愿的。

邀鬼饮酒

【原文】

房师孙端人先生，文章淹雅，而性嗜酒。醉后所作，与醒时无异。馆阁诸公，以为斗酒百篇之亚也。督学云南时，月夜独饮竹丛下，恍惚见一人注视壶盏，状若朵颐。心知鬼物，亦不恐怖，但以手按盏曰："今日酒无多，不能相让。"其人瑟缩而隐。醒而悔之曰："能来猎酒，定非俗鬼。肯向我猎酒，视我亦不薄。奈何辜其相访意？"市佳酿三巨碗，夜以小几陈竹间。次日视之，酒如故。叹曰："此公非但风雅，兼亦狷介。稍与相戏，便涓滴不尝。"幕客或曰："鬼神但歆其气，岂真能饮？"先生慨然曰："然则饮酒宜及未为鬼时，勿将来徒歆其气。"先生侄渔珊，在福建学幕，为余述之。觉魏晋诸贤，去人不远也。

【译文】

房师孙端人先生文章写得大气典雅，而且喜欢饮酒，酒后的文章与清醒时写的一样好。翰林们都称他是第二位斗酒诗百篇的醉仙。他在督学云南时，月夜独自一人在竹丛下饮酒。恍惚间发现有人在注视着他的酒壶，表现出很馋的样子。先生心里明白是鬼，也不害怕，只是用手按着杯子说道："今天酒不多，就不让你了。"那人缩着身子不见了。孙先生醒酒后非常后悔，说："能来要酒喝，绝不是俗鬼；能来向我要酒喝，一定很看得起我，我为什么要辜负他的拜访之意呢？"于是他买来三大碗好酒，夜间设案摆在竹林间。第二天一看，那酒一点儿没动。孙先生叹道："这位先生不但风雅，而且孤傲。跟他开个玩笑，竟连一口也不喝了。"幕客中有一个人说："鬼神不过是吞吸酒的气味，哪能真喝？"孙先生感慨地说："可见喝酒还是要赶在做鬼之前，别等当了鬼，只能吸点酒气。"孙端人的侄子孙渔珊在福建学署做幕僚时向我讲了这事。我觉得魏晋名士离我们并不远。

少华山

【原文】

吴林塘言：曩游秦陇，闻有猎者在少华山麓，见二人儽然卧树下。呼之犹能强起，问："何困踬于此？"其一曰："吾等皆为狐魅者也。初，我夜行失道，投宿一山家。有少女绝妍丽，伺隙调我。我意不自持，即相媟狎。为其父母所窥，甚见詈辱。我拜跪，始免捶挞。既而闻其父母絮絮语，若有所议者。次日，竟纳我为婿。惟约山上有主人，女须更番执役，五日一上直，五日乃返。我亦安之。半载后，病瘵，夜嗽不能寝，散步林下，闻有笑语声，偶往寻视，见屋数楹，有人拥我妇坐石看月。不胜恚忿，力疾欲与角。其人亦怒曰：'鼠辈乃敢瞰我妇！'亦奋起相搏。幸其亦病惫，相牵并仆。妇安坐石上，嬉笑曰：'尔辈勿斗。吾明告尔，吾实往来于两家，皆托云上直，使尔辈休息五日，蓄精以供采补耳。今吾事已露，尔辈精亦竭，无所用尔辈。吾去矣。'奄忽不见。两人迷不能出，故饿踣于此，幸遇君等得拯也。"其一人语亦同。

猎者食以干糒，稍能举步。使引视其处，二

人共诧曰："向者墙垣故土，梁柱故木，门故可开合，窗故可启闭，皆确有形质，非幻影也，今何皆土窟耶？院中地平如砥，净如拭，今何土窟以外，崎岖不容足耶？窟广不数尺，狐自可容矣，何以容我二人？岂我二人之形亦为所幻化耶？"一人见对面崖上有破磁，曰："此我持以登楼，失手所碎。今峭壁无路，当时何以上下耶？"四顾徘徊，皆惘惘如梦。

二人恨狐女甚，请猎者入山捕之。猎者曰："邂逅相遇，便成佳偶，世无此便宜事。事太便宜，必有不便宜者存。鱼吞钩，贪饵故也；猩猩刺血，嗜酒故也。尔二人宜自恨，亦何恨于狐？"二人乃悯默而止。

【译文】

据吴林塘说，他从前漫游陕西、甘肃一带时，听说有一个猎人在少华山麓，见两个人病弱不堪地躺在树下。喊他们，还能勉强起来。猎人问："怎么困在这里？"其中一个说："我俩都遭到狐仙的迷惑。当初我走夜道迷了路，便到一个山民家投宿。有一个少女长得十分漂亮，趁机勾引我，我不能自持，就和她厮混起来，被她的父母看见了，挨了一通臭骂。我跪在地上求饶，才免了痛打。接着，便听见她父母絮絮叨叨地说话，似乎在商议什么事。第二天，他们竟招我作女婿。只是说山上有主人，少女必须轮番去干活，她隔五天便去值班，五天后才回来。我也答应了。半年以后，我病倒了，晚上咳嗽睡不着，便去林中散步，听到有笑语声，无意中循声望去，发现几间房子，有一个人搂着我的妻子坐在石头上赏月。我怒火中烧,要和那人厮打起来。那个人也怒气冲冲地喊:‘胆大鼠辈,竟敢打我妻子的主意。’也奋力与我搏斗。幸亏他也病得够戗,两人拉扯着都倒在地上。那女人安然坐在石头上,嬉笑说:‘你们不必争斗了。我明白告诉你们,我实际上来往于两家,都撒谎说去值班,为的是叫你们休息五天,养精蓄锐,好供我采补。如今我的事已经败露,你们俩的精气也已尽了,已毫无用处,我该走了!’那女子转眼就不见了。我俩迷路走不出去,所以饿倒在这里,幸亏遇上了您,我俩才能得救。”另一个人说的也相同。

猎人拿出干粮给他们吃了,他们才能勉强走路。猎人请他们带着去看原来的住处,到了原地,两人都很惊诧:“原先的墙是土的,梁柱是木头的,门窗能自由开关,都是实在的东西,不是幻影,如今怎么变土窟窿了呢?院子里原来地面平整,洁净得像擦拭过,如今除了土窟窿之外,高低不平没有落脚之地。这些土窟窿只有几尺宽,狐仙可以藏身,怎能容得下我们?难道我俩的外形也被幻化了?”另一个看到对面山崖有破碎的瓷片,说道:“那是我拿着上楼时,不慎摔坏的。如今悬崖峭壁,无路可走,当时怎么上下的?”两人四面环顾,茫茫然像做了一场梦。

两人非常痛恨狐女,请求猎人进山捕杀她。猎人说:“你们与狐女邂逅相遇,便结成了夫妻,世上本没有这么便宜的事。事情太便宜,便蕴含着不便宜。鱼吞钩,是因为贪吃钓饵;猩猩被捉住放血,是因为贪吃酒食。你俩应该恨自己,对狐仙有什么可恨的呢?”两个人于是烦闷地不再作声了。

神佑善人

【原文】

余有庄在沧州南，曰上河涯，今鬻之矣。旧有水明楼五楹，下瞰卫河，帆樯来往栏楯下，与外祖雪峰张公家度帆楼，皆游眺佳处。先祖母太夫人，夏月每居是纳凉，诸孙更番随侍焉。一日，余推窗南望，见男妇数十人，登一渡船。缆已解，一人忽奋拳击一叟落近岸浅水中，衣履皆濡。方坐起愤詈，船已鼓棹去。时卫河暴涨，洪波直泻，汹涌有声。一粮艘张双帆顺流来，急如激箭，触渡船碎如柹。数十人并没，惟此叟存，乃转怒为喜，合掌诵佛号。问其何适，曰："昨闻有族弟得二十金，鬻童养媳为人妾，以今日成券。急质田得金如其数，赍之往赎耳。"众同声曰："此一击神所使也。"促换渡船送之过。时余方十岁，但闻为赵家庄人，惜未问其名姓。此雍正癸丑事。

又先太夫人言：沧州人有逼嫁其弟妇，而鬻两侄女于青楼者，里人皆不平。一日，腰金贩绿豆，泛巨舟诣天津。晚泊河干，坐船舷濯足。忽西岸一盐舟纤索中断，横扫而过，两舷相切，自膝以下，筋骨糜碎如割截，号呼数日乃死。先外祖一仆闻之，急奔告曰："某甲得如是惨祸，真大怪事！"先外祖徐曰："此事不怪。若竟不如此，反是怪事。"此雍正甲辰、乙巳间事。

【译文】

我有一座庄园在沧州之南，名叫"上河涯"，现在已经卖了。庄园有水明楼五间，可以俯瞰卫河，卫河的舟船在栏杆下来往。这水明楼和外祖父张雪峰家的度帆楼，都是登高远眺的好地方。先祖母张太夫人每年夏季便住在这里避暑，孙子们轮流侍奉她。有一天，我推开窗户向南望去，只见男女几十个人上了一条渡船，缆绳已解，突然有一个人奋力一拳把一位老人击落在岸边的浅水中，老人的衣鞋全湿了。他刚要起来骂人，船已划起桨而去。当时，卫河水突然暴涨，洪水直泻下来，汹涌澎湃。一艘运粮船张着双帆顺流直下，像一支离弦的箭，直撞渡船；渡船被撞得粉碎如柿饼，船上几十人全部落水淹死，只有这个老人幸存下来。老人转怒为喜，合掌诵起佛来。有人问老人到哪儿去，老人说："昨天听说我的一位堂弟得了人家二十两银子，把童养媳卖给人去做小老婆，定在今天立字据成交。我急忙把地押给别人，换了二十两银子,要把那女孩子赎回来。”众人异口同声地说:“这一拳是神仙指使人打的。”众人急忙招呼渡船把老人送过河。当时我刚十岁,听说老人是赵家庄人,可惜没有问他的姓名。这是雍正十一年的事。

又听先太夫人说,沧州有个人逼迫寡居的弟媳妇改嫁,并把两个侄女卖给妓院,乡里人都对此愤愤不平。有一天,这个人带着钱贩卖绿豆,乘着大船去天津。傍晚,船停泊在岸边,他坐在船舷上洗脚。忽然河西岸有一艘盐船的缆绳断了,盐船突然横扫过来,两舷相切,那人膝盖以下的骨肉粉碎,像被割断了一样,他呼号了几天后死去。先外祖父雪峰公家的仆人听说了这件事后,忙来报告说:“某甲遭到如此惨祸,真是件大怪事!”先外祖父听后,慢条斯理地说:“这事不怪,我看他不落得这个下场,那才是怪事呢。”这事发生在雍正二、三年间。

黠鬼

【原文】

先师介公野园言：亲串中有不畏鬼者，闻有凶宅，辄往宿。或言西山某寺后阁，多见变怪。是岁值乡试，因僦住其中。奇形诡状，每夜环绕几榻间，处之恬然，然亦弗能害也。

一夕月明，推窗四望，见艳女立树下。哂然曰："怖我不动，来魅我耶？尔是何怪？可近前。"女亦哂然曰："尔固不识我，我尔祖姑也，殁葬此山。闻尔日日与鬼角，尔读书十余年，将徒博一不畏鬼之名耶？抑亦思奋身科目，为祖父光，为门户计耶？今夜而斗争，昼而倦卧，试期日近，举业全荒，岂尔父尔母遣尔裹粮入山之本志哉？我虽居泉壤，于母家不能无情，故正言告尔。尔试思之。"言讫而隐。私念所言颇有理，乃束装归。

归而详问父母，乃无是祖姑。大悔，顿足曰："吾乃为黠鬼所卖。"奋然欲再往。其友曰："鬼不敢以力争，而幻其形以善言解。鬼畏尔矣，尔何必追穷寇？"乃止。此友可谓善解纷矣。然鬼所言者正理也，正理不能禁，而权词能禁之，可以悟销熔刚气之道也。

【译文】

据先师介野园先生说，他的亲戚中有个不怕鬼的人，听说哪儿有凶宅，就去住。有人说西山某庙后面的阁楼里常常闹鬼，这一年正值乡试，他就租下这座阁楼住下来。屋里经常出现奇形怪状的东西，每夜都环绕在他的几榻前，他处之泰然，鬼怪也不能伤害他。

有一天夜里月色明亮，他推窗四望，看见一位美女站在树下。他冷笑说："你吓不住我，想来迷我吗？你是什么怪，到我跟前来！"女鬼也冷笑说："你自然不认识我，我是你姑奶奶，死后就埋葬在此山上。我听说你天天和鬼斗，你读书十多年，只是为了得一个不怕鬼的名声？是不是也想要发奋读书，有朝一日扬声科场、光宗耀祖呢？你现在夜里与鬼斗，白天睡大觉，考期将近，学业全荒废了，难道这是你父母给你钱粮，让你进山的本意吗？我虽然身在阴间，对娘家不能无情，所以对你正言相告。你想一想吧！"说完，女鬼就不见了。他觉得此话有理，便收拾行装回去了。

他回来后详细询问父母，根本没有这么个姑奶奶。他很后悔，跺着脚说："让这个狡猾的鬼给耍了。"他又想进山，朋友劝他说："鬼不敢与你以力相争，而变了形来好言相劝，说明鬼很怕你，你何必没完没了呢？"他这才罢休。这位朋友可以说是善于排解纷争的了。但是鬼所说的是正理；正理说服不了人，而权变之词能说服人，由此可以领悟销熔刚气之道了。

青楼奇女子

【原文】

同郡某孝廉未第时，落拓不羁，多来往青楼中。然倚门者视之，漠然也。惟一妓名椒树者独赏之，曰：“此君岂长贫贱者哉！”时邀之狎饮，且以夜合资供其读书。比应试，又为捐金治装，且为其家谋薪米。孝廉感之，握臂与盟曰：“吾倘得志，必纳汝。”椒树谢曰：“所以重君者，怪姊妹惟识富家儿，欲人知脂粉绮罗中，尚有巨眼人耳。至白头之约，则非所敢闻。妾性冶荡，必不能作良家妇。如已执箕帚，仍纵怀风月，君何以堪？如幽闭闺阁，如坐囹圄，妾又何以堪？与其始相欢合，终致仳离，何如各留不尽之情，作长相思哉？”后孝廉为县令，屡招之不赴。中年以后，车马日稀，终未尝一至其署。亦可云奇女子矣。使韩淮阴能知此意，乌有“鸟尽弓藏”之憾哉？

【译文】

我的一位同乡在没有考取举人之前，穷困潦倒，为人放荡不羁，常出入妓院。但烟花女子都不怎么搭理他，只有一个叫椒树的妓女赏识他，说："这位郎君怎会长久地贫贱下去呢？"因此时常请他来宴饮亲热，并拿出接客钱资助他读书。等到应考时，椒树又拿钱为他准备行装，并为他家安排柴米油盐。这人十分感激她，拉着她的手发抗誓说："倘若我得到一官半职，一定娶你。"椒树辞谢说："我所以器重您，只是怪姐妹们只认识富家儿，我想让人们明白，在脂粉堆里，也有慧眼识贤的人。至于白头偕老的约定，我是不敢想的。我性情放荡，当不成良家妇女。如果我成了您的夫人，依然纵情声色，您怎么受得了？如果把我幽禁在闺阁中，就像进了监狱，我也不能忍受。与其开始欢合，最终离异，还不如互留相思之情，作为长久的思念。"后来，这位同乡果然考中了举人，官居县令。他多次请椒树来，她都没有答应。中年以后的椒树门前车马日渐稀少，终究没有到县衙去过。她可称得上是一位奇女子。假如当年淮阴侯韩信能明白这个道理，也就不会有"飞鸟尽，良弓藏"的遗憾了。

鬼偿赌金

【原文】

黎荇塘言：有少年，其父商于外，久不归。无所约束，因为囊家所诱，博负数百金。囊家议代出金偿众，而勒写鬻宅之券。不得已，从之。虑无以对母妻，遂不返其家，夜入林自缢。甫结带，闻马蹄隆隆，回顾，乃其父归也。骇问："何以作此计？"度不能隐，以实告。父殊不怒，曰："此亦常事，何至于此！吾此次所得尚可抵。汝自归家，吾自往偿金索券可也。"时囊家博未散，其父突排闼入。本皆相识，一一指呼姓字，先斥其诱引之非，次责以逼迫之过。众错愕无可置词。既而曰："既不肖子写宅券，吾亦难以博诉官。今偿汝金，汝明日分给众人，还我宅券，可乎？"囊家知理屈，愿如命。其父乃解腰缠付囊家，一一验入。得券即就灯焚之，愤然而出。其子还家具食，待至晓不归。至囊家侦探，曰："已焚券去。"方虑有他故。次日，囊家发箧，乃皆纸铤。金所亲收，众目共睹，无以自白，竟出己囊以偿。颇自疑遇鬼。后旬余，讣音果至，殁已数月矣。

【译文】

据黎荇塘说，有个年轻人，他父亲在外经商很久没有回家。家里没人管教，他被赌头引诱，输了几百两银子。赌头提出代他还钱给赢家，却逼他写卖房子的字据。年轻人不得已写了字据。他担心没法向母亲、妻子交代，不敢回家，夜里到树林上吊。他刚拴好绳套，听到马蹄声滚滚而来。回头一看，正是他的父亲回来了。父亲惊骇地问："为什么这样？"年轻人估计瞒不住了，只好实说。父亲却一点也不生气，说："这也是常事，何必为此寻死？我这次带回来的钱足够偿还你这笔债。你先回家，我去为你还债索要字据。"当时，那些赌徒们还没有散去，他父亲突然推门而入，原先就都认识，一一点着赌徒们的名字，先是指责他们引诱自己儿子参加聚赌不对，接着又斥责他们逼迫写字据不对。众赌徒无言答对。过了一会儿，又说："既然是我那没德行的儿子写下了字据，我也不能因赌博告官。现在我把儿子的赌债还了，你明天分给大家，把那张字据还给我行吗？"赌头自知理屈，就答应了。年轻人的父亲解下腰袋，把银钱如数交给赌头，赌头一一查收。年轻人的父亲接过字据，就在灯上焚毁了，然后愤愤地离开了赌场。年轻人回到家里，准备了饭菜，一直等到天亮，也没见父亲回来。到赌头家里探听，说他父亲把字据烧掉后就走了。正担心有别的什么变故，第二天，赌头打开箱子，发现昨晚的钱全是纸钱。钱是他自己亲自收下的，众人有目共睹，没有什么话可说，只好自掏腰包来偿还这笔亏空。他心里疑惑，怕是遇见了鬼。十多天后，果然讣告到了，原来年轻人的父亲已死了好几个月了。

学无高下

【原文】

安中宽言：有人独行林莽间，遇二人，似是文士，吟哦而行。一人怀中落一书册，此人拾得。字甚拙涩，波磔皆不甚具，仅可辨识。其中或符箓，或药方，或人家春联，纷糅无绪，亦间有经书古文诗句。展阅未竟，二人遽追来夺去，倏忽不见。疑其狐魅也。一纸条飞落草间，俟其去远，觅得之。上有字曰："《诗经》'于'字皆音'乌'，《易经》"无"字左边无点。"

余谓此借言粗材之好讲文艺者也。然能刻意于是，不愈于饮博游冶乎？使读书人能奖励之，其中必有所成就。乃薄而挥之，斥而笑之，是未思圣人之待互乡、阙党二童子也。讲学家崖岸过峻，使人甘于自暴弃，皆自沽己名，视世道人心如膜外耳。

【译文】

据安中宽说，有个人独自在山林中行走，碰上了两个人，像是书生，一边走一边吟诵诗文。一个人的怀中掉下一本书，被赶路人拾起。书中的文字十分拙笨，撇捺都不太齐全，仅仅能让人辨认。其中有符策、药方，有家用春联，显得纷乱混杂，毫无头绪，还夹杂着经书、古文、诗词等。没等赶路人看完，那两个人急忙追上来把书夺去，转眼就不见了。赶路人怀疑他们是狐仙。忽然有一张纸条飘落到草丛里，等那两个人走远后，他才找到拣起来。上面写着："《诗经》中的'於'字都读作'乌'，《易经》中的'儛'字左边没有点。"

我认为这是借此讽刺那些才疏学浅而又喜欢谈论学问的人。然而能在这方面用心，岂不胜过只知饮酒赌博、拈花惹草的人！假如这些人都能受到称赞和勉励，那么其中有些人一定会学有所成。如果鄙视他们、斥责他们、嘲笑他们，是没有想到圣人是如何对待互乡、阙党两个小童子的。那些道学家过于高傲，让人甘心自暴自弃，而他们却只顾沽名钓誉，把世道人心看作与己无关的事。

张一科

【原文】

张一科，忘其何地人。携妻就食塞外，佣于西商。西商昵其妻，挥金如土，不数载资尽归一科，反寄食其家。妻厌薄之，诟谇使去。一科曰："微是人，无此日，负之不祥。"坚不可。妻一日持梃逐西商，一科怒詈。妻亦反詈曰："彼非爱我，昵我色也；我亦非爱彼，利彼财也。以财博色，色已得矣，我原无所负于彼；以色博财，财不继矣，彼亦不能责于我。此而不遣，留之何为？"一科益愤，竟抽刃杀之。先以百金赠西商，而后自首就狱。

又一人忘其姓名，亦携妻出塞。妻病卒，困不能归，且行乞。忽有西商招至肆，赠五十金。怪其太厚，固诘其由。西商密语曰："我与尔妇最相昵，尔不知也。尔妇垂殁，私以尔托我。我不忍负于死者，故资尔归里。"此人怒掷于地，竟格斗至讼庭。二事相去不一月。

相国温公，时镇乌鲁木齐。一日，宴僚佐于秀野亭，座间论及。前竹山令陈题桥曰："一不以贫富易交，一不以死生负约，是虽小人，皆古道可风也。”公颦蹙曰：“古道诚然。然张一科曷可风耶？”后杀妻者拟抵，而谳语甚轻；赠金者拟杖，而不云枷示。公沉思良久，慨然曰：“皆非法也。然人情之薄久矣，有司如是上，即如是可也。”

【译文】

张一科，我忘记他是哪里人了。他带着妻子到塞外谋生，被一个西方商人雇用。商人喜爱张一科的妻子，为她挥金如土，没几年钱财全都落到张一科手中，商人反倒在张家借住讨吃。张妻厌恶商人，喝骂他并要赶他走。一科说：“没有这个人，我们不会有今天，背弃人家恐怕不吉利。”他坚持不让赶走商人。一天，张妻抄起一根棍子赶商人走，一科怒骂妻子。妻子还嘴骂道：“他并不爱我，而是喜爱我的美色。我也不喜欢他，不过是喜欢他的钱财。他用钱财换取美色，美色得到了，我就不亏欠他什么了；我用色相换取钱财，而钱财没了，他也不能责怪我。不让他走，留下又有什么用？”一科更加愤怒，竟然拔刀杀了妻子。他先赠送商人一百两银子，然后自首去了。

又有一个人，忘记他的姓名了，也是带着妻子来到塞外。妻子病死后，他因贫困无法返回家乡，只好讨饭为生。忽然有个商人把他招到店铺，赠给他五十两银子。他惊讶馈赠太重，追问其中的缘由。商人悄悄说：“我和你的妻子最为亲近，你不知道。你妻子临死时，私下把你托付给我。我不忍心对不起死者，因此资助你回归故里。”这人听后把钱愤怒地摔到地上，和商人打起来，一直打到了公庭上。这两件事相距不到一个月。

相国温公，当时镇守乌鲁木齐。一天，他在秀野亭宴请部下，席间谈论到这两桩案子。前竹山县令陈题桥说:“一个不因为贫富变化而改变交情,一个不因为生死变化而背弃约定。他们虽然都是小人,但行事却合于古道,可用以教化。”温公紧皱着眉头说:“古道确实如此。但张一科怎么能用来教化呢?”后来定杀死妻子的人抵命,但判词却很轻;赠送黄金的人定杖刑,却不被枷示众。温公沉思了很久,感慨地说:“这都不合乎刑法。但人情淡薄很久了,如果主管部门这样呈报上来,就这么办好了。”

御下过严

【原文】

某侍郎夫人卒，盖棺以后，方陈祭祀，忽一白鸽飞入帏，寻视无睹。俶扰间，烟焰自棺中涌出，连甍累栋，顷刻并焚。闻其生时，御下严，凡买女奴，成券入门后，必引使长跪，先告戒数百语，谓之教导。教导后，即褫衣反接，挞百鞭，谓之试刑。或转侧，或呼号，挞弥甚。挞至不言不动，格格然如击木石，始谓之知畏，然后驱使。安州陈宗伯夫人，先太夫人姨也，曾至其家，常曰其童仆婢媪，行列进退，虽大将练兵，无如是之整齐也。

又余常至一亲串家，丈人行也，入其内室，见门左右悬二鞭，穗皆有血迹，柄皆光泽可鉴。闻其每将就寝，诸婢一一缚于凳，然后覆之以衾，防其私遁或自戕也。后死时，两股疽溃露骨，一若杖痕。

【译文】

某侍郎的夫人死了，盖上棺盖以后，正在陈设祭品，忽然一只白鸽飞进了帏帐中，找了一阵，却没见白鸽的影子。正在忙乱的时候，浓烟火焰从棺材里喷涌而出，一排房屋，顷刻之间都被焚为灰烬了。听说这位夫人在世时对下人管理极严，凡是买进来的女奴，立下字据领进家门之后，就让她们直身而跪，先告诫家规、礼法几百条，这称为“教导”；教导之后，便剥下女奴的衣服，反绑双手，抽打一百鞭子，叫“试刑”。要是躲闪或号叫的话，鞭打得就更加凶狠，一直打到不喊不动，鞭子像抽打在树木或石头上，这才算懂得了敬畏，然后才使唤她们。安州的陈宗伯夫人，是我先母的姨妈，她曾经去过侍郎家。她常常说起那家的男仆女奴，进进出出都极为规矩，即使是大将训练出来的军队，也没有那样整齐。

另外，我常到一位亲戚家串门，他是家族中的一个长辈。走进他的内室，看见门的左右悬挂着两条鞭子，鞭穗上都带有血迹，鞭杆磨得锃亮。听说他每天睡觉前，就把婢女们一个个捆在条凳上，然后把被子盖在上边，防止她们逃跑或自杀。后来这位亲戚死的时候，两条腿长满了毒疮，溃烂得露出了骨头，就好像是被棍子打的一样。

地 师

【原文】

景城之北，有横冈坡陀，形家谓余家祖茔之来龙。其地属姜氏，明末，姜氏妒余族之盛，建真武祠于上，以厌胜之。崇祯壬午兵燹，余家不绝如线。后祠渐圮，余族乃渐振，祠圮尽而复盛焉。其地今鬻于从侄信夫。时乡中故老已稀，不知旧事，误建土神祠于上，又稍稍不靖。余知之，急属信夫迁去，始安。

相地之说，或以为有，或以为无。余谓刘向校书，已列此术为一家，安得谓之全无？但地师所学必不精，又或缘以为奸利，所言尤不足据，不宜溺信之耳。若其凿然有验者，固未可诬也。

【译文】

景城的北面有一片起伏的山冈坡地，风水先生说那就是我家祖坟的主山，是龙脉的来源。那块地原属于姜家，明朝末年，姜家因为嫉妒我们纪氏家族兴盛，就在山冈上建起一座真武祠，想以此镇制纪氏家族。崇祯十五年，景城遭到战乱，我们家族像线一样延绵不绝。后来真武祠渐渐毁坏，我们家族就逐渐兴旺起来，等到那祠堂彻底毁坏时，我们家族又再度兴盛起来。那块地现在卖给了堂侄信夫。当时家乡父老已经很少了，人们不大了解过去的情况，错把土地庙建在山冈上，结果又有些不太平了。我知道后赶忙嘱托信夫把土地庙迁走，这才又安宁下来。

关于风水的学问，有人说有，有人说没有。我认为汉人刘向校订图书时，已经把它列为众多学派中的一家，怎么能说完全没有呢？但是风水先生所学并不那么精通，还有的只想借此谋财，他们说的尤为不可信，不能一味地听信他们。至于那些确实有效验的推测，本不该妄加诬蔑。

宋遇三娶

【原文】

奴子宋遇，凡三娶。第一妻自合卺即不同榻，后竟仳离。第二妻子必孪生，恶其提携之烦，乳哺之不足，乃求药使断产。误信一王媪言，舂砺石为末服之，石结聚肠胃死。后遇病革时，口喃喃如与人辩。稍苏，私语其第三妻曰："吾出初妻时，吾父母已受人聘，约日迎娶，妻尚未知。吾先一夕引与狎，妻以为意转，欣然相就。五更尚拥被共眠，鼓吹已至，妻恨恨去。然媒氏早以未尝同寝告后夫，吾母兄亦皆云尔。及至彼，非完璧，大遭疑诟，竟郁郁卒。继妻本不肯服石，吾痛捶使咽尽。殁后惧为厉，又贿巫斩殃。今并恍惚见之，吾必不起矣。"已而果然。

又奴子王成，性乖僻。方与妻嬉笑，忽叱使伏受鞭。鞭已，仍与嬉笑。或方鞭时，忽引起与嬉笑。既而曰："可补鞭矣。"仍叱使伏受鞭。大抵一日夜中，喜怒反复者数次。妻畏之如虎，喜时不敢不强欢，怒时不敢不顺受也。一日，泣诉先太夫人，呼成问故。成跪启曰："奴不自知，亦不自由。但忽觉其可爱，忽觉其可憎耳。”先太夫人曰：“此无人理，殆佛氏所谓夙冤耶？”虑其妻或轻生，并遣之去。后闻成病死，其妻竟着红衫。

夫夫为妻纲，天之经也。然尊究不及君，亲究不及父，故妻又训齐，有敌体之义焉。则其相与，宜各得情理之平。宋遇第二妻，误杀也，罪止太悍。其第一妻，既已被出而受聘，则恩义已绝，不当更以夫妇论，直诱污他人未婚妻耳。因此致死，其取偿也宜矣。王成酷暴，然未致妇于死也。一日居其室，则一日为所天。殁不制服，反而从吉，是悖理乱常也。其受虐固无足悯焉。

【译文】

奴仆宋遇，总共三次娶妻。第一个妻子从结婚起就没有同床，后来离了。第二个妻子生孩子总是双胞胎，他讨厌带孩子的麻烦，奶水又不足，于是找药让妻子绝育。他误信一个王婆子的话，把磨刀石弄成粉末让她服下去，结果石粉在肠胃里不能消化，也死去了。后来宋遇得了重病，喃喃地像和人争辩。稍为苏醒，便悄悄对第三个妻子说：“我休弃第一个妻子时，我父母已接受了别人的聘礼，定好了日子，妻子还不知道。迎娶前的那天晚上我和她亲热，妻子以为我回心转意了，便欣然相就。五更时，还和我睡在一个被窝里，鼓乐声已响到门前，妻子恨恨而去。然而媒人已告诉她的后夫，她未曾与男人同居过，我母亲和哥哥也都这么说。到了人家，她已不是处女，遭到怀疑和谩骂，使她忧郁而死。第二个妻子本来不肯服磨石粉，我痛打并逼她吞咽下去。死后害怕她报复，又花钱买通巫婆斩殃。现在我恍恍惚惚又见到了她们，我必死无疑。”不久他果然死了。

还有个奴仆叫王成，性情怪僻。他刚刚还与妻子调情嬉笑，忽然又令她趴下受鞭打。打完仍与她嬉笑。有时正在鞭打，忽然搂起她嬉笑，随后又说要补几鞭子，仍责令她挨打。大概一天一夜中，他喜怒无常反复数次。妻子怕他像怕老虎，他高兴时不敢不强颜欢笑，发怒时不敢不顺从。一天，她哭着告诉了先太夫人。先太夫人叫王成来问是怎么回事，王成跪下说：“奴才自己不知道，不由自主。只是忽然觉得她可爱，忽然又觉得她可恨。”先太夫人说：“这毫无道理，大概就是佛门所说的上辈子结下的怨恨吧？”她担心他妻子轻生，就把他们打发走了。后来听说王成病死了，他妻子竟穿上红衣裳。

夫为妻纲是天经地义的。然而，丈夫尊贵毕竟不如皇帝，亲近毕竟不如父亲，所以“妻”字又解释作“齐”，有与丈夫平等之义。因此夫妻相处应该在情理上说得过去。宋遇第二个妻子是误杀，罪过仅仅是太暴戾。他的第一个妻子既然已被休而受聘于人，则恩义已不存在，更不当视作夫妻，这同诱奸他人的未婚妻一样。这件事使她郁郁而死，她要求偿命也是有道理的。王成残酷暴虐，然而并未致妻子于死地。他一天在屋里，就应一天把他当作丈夫。丈夫死后她不穿孝服，反而穿上红衣裳，这是违背纲常的，她受虐待根本不值得同情。

崔崇屽

【原文】

崔崇屽，汾阳人，以卖丝为业。往来于上谷、云中有年矣。一岁，折阅十余金，其曹偶有怨言。崇屽恚愤，以刀自剖其腹。肠出数寸，气垂绝。主人及其未死，急呼里胥与其妻至。问："有冤耶？"曰："吾拙于贸易，致亏主人资本。我实自愧，故不欲生，与人无预也。其速移我返，毋以命案为人累。"主人感之，赠数十金为棺敛费，奄奄待尽而已。有医缝其肠，纳之腹中，敷药结痂，竟以渐愈。惟遗矢从刀伤处出，谷道闭矣。后贫甚，至鬻其妻。旧共卖丝者怜之，各赠以丝，俾拈线自给。渐以小康，复娶妻生子。至乾隆癸巳、甲午间，年七十乃终。其乡人刘炳为作传，曹受之侍御录以示余，因撮记其大略。

夫贩鬻丧资，常事也。以十余金而自戕，崇屽可谓轻生矣。然其本志，则以本无毫发私，而其迹有似于干没，心不能白，以死自明，其平生之自好可知矣。濒死之顷，对众告明里胥，使官府无可疑；切嘱其妻，使眷属无可讼。用

心不尤忠厚欤！当死不死，有天道焉。事似异而非异也。

【译文】

崔崇屽是山西汾阳人，以卖丝为业，往来于河北、内蒙古地区有几年了。有一年亏损了十几两银子，他的伙伴偶然有怨言。他十分羞愤，就剖腹自杀，肠子流出几寸长，生命垂危。主人趁着他未死，急忙叫来当地官员和他妻子，问他有什么冤。他说："我做买卖很笨，以致亏了主人的本。我自觉羞愧，所以不想活了，与别人没有干系。请快把我送回去，不要因人命案连累别人。"主人很感动，赠送几十两银子作为丧葬费。崔崇屽奄奄一息，只等死了。有位医生将他的肠子收回腹中，缝上伤口，敷药结痂，竟逐渐痊愈了，只是粪便从伤口处流出，排泄道已堵塞。后来他更贫困，以致卖了妻子。过去与他一起卖丝的人可怜他，都送给他丝，让他搓线自给自足，渐渐地达到了小康，他又娶妻生子。到乾隆三十八九年间，年七十岁而死。他的同乡刘炳为他作传，侍御曹受之抄了来给我看，我便摘录写了这段故事大略。

做买卖赔钱是常事，因为十几两银子就自杀，崔崇屽可以说是太轻生了。然而从他本意来说，没有丝毫的私心，但他的形迹似乎涉嫌私吞，心里不能表白，所以用死来证明自己，可见他平生是非常自重的。临死时当众明告乡吏，使官府没有什么怀疑的；又嘱咐他的妻子，让家属不要控告别人，用心不是尤其忠厚吗？他当死却没有死，说明自有天道。事情好像奇怪，其实一点不奇怪。

节　妇

【原文】

胡太虚抚军能视鬼，云尝以葺屋巡视诸仆家，诸室皆有鬼出入，惟一室阒然。问之，曰："某所居也。"然此仆蠢蠢无寸长，其妇亦常奴耳。后此仆死，其妇竟守节终身。盖烈妇或激于一时，节妇非素有定志，必不能饮冰茹蘖数十年。其胸中正气，蓄积久矣，宜鬼之不敢近也。

又闻一视鬼者曰："人家恒有鬼往来，凡闺房媟狎，必诸鬼聚观，指点嬉笑，但人不见不闻耳。鬼或望而引避者，非他年烈妇、节妇，即孝妇、贤妇也。"与胡公所言，若重规叠矩矣。

【译文】

胡太虚巡抚能看见鬼。据说他曾因修整房屋到仆人们的住处巡查，发现各屋都有鬼进出，只有一室没有鬼。一打听，说是某仆住的屋子。然而这个仆人蠢乎乎的一无所长，他的妻子也是个很平常的女奴。后来这个仆人死了,他的妻子竟终身守节。大概烈妇往往出于一时激愤,而节妇如果不是一向有坚定的志向,肯定不能含辛茹苦几十年。她们胸中有正气,积蓄很久了,所以鬼都不敢接近她们。

又听一位见过鬼的人说:"人们的家里总是有鬼来来往往,凡是在闺房里亲昵交合,必定有众鬼围观,指点嬉笑,只是人看不见听不见。鬼也有望而躲避的,不是以后的烈妇、节妇,就是孝妇、贤妇。"这与胡太虚所说的完全是一样道理。

人不如狐

【原文】

刘友韩侍御言：向寓山东一友家，闻其邻女为狐媚。女父迹知其穴，百计捕得一小狐。与约曰："能舍我女，则舍尔子。"狐诺之，舍其子而狐仍至。詈其负约，则谢曰："人之相诳者多矣，而责我辈乎？"女父恨甚，使女阳劝之饮，而阴置砒焉。狐中毒，变形踉跄去。

越一夕，家中瓦砾交飞，窗扉震撼，群狐合噪来索命。女父厉声道始末，闻似一老狐语曰："悲哉！彼徒见人皆相诳，从而效尤。不知天道好还，善诳者终遇诳也。主人词直，犯之不祥，汝曹随我归矣。"语讫寂然。此狐所见，过其子远矣。

【译文】

侍御刘友韩说，他曾住在山东一位朋友家，听说他邻居的女儿被狐仙迷了。她父亲找到狐穴，想尽办法逮住一只小狐崽。他与狐仙约定："你能放我女儿，我就放了你的小崽儿。"狐仙答应了，于是放了狐崽，而狐仙仍不放过他女儿。他大骂狐仙负约，狐仙说："人互相诳骗的事多了，你还来责怪我们？"他恨透了狐仙，让女儿劝狐仙喝酒，在酒中偷放了砒礵。狐仙中毒，现出原形逃走了。

第二天夜里，砖瓦纷飞，门窗砸得山响，群狐聚集来向这家人索命。父亲厉声说明了事情始末。就听一只老狐狸说："太可悲了！它见到人类互相诳骗而效仿，不知天道报应，骗人者自己也会受骗。主人有理，侵犯这样的人不吉利。你们都跟我回去吧。"说完四周便寂静无声了。这只老狐狸的见识，比它的子孙们要强得多。

溺鬼求代

【原文】

卫媪，从侄虞惇之乳母也。其夫嗜酒，恒在醉乡。一夕，键户自出，莫知所往。或言邻圃井畔有履，视之，果所著；窥之，尸亦在。众谓墙不甚短，醉人岂能逾？且投井何必脱履？咸大惑不解。询守圃者，则是日卖菜未归，惟妇携幼子宿。言夜闻墙外有二人邀客声，继又闻牵拽固留声，又訇然一声，如人自墙跃下者，则声在墙内矣。又闻延坐屋内声，则声在井畔矣。俄闻促客解履上床声，又訇然一声，遂寂无音响。此地故多鬼，不以为意，不虞此人之入井也。其溺鬼求代者乎？遂堙是井，后亦无他。

【译文】

卫老太是我堂侄虞惇的奶妈。她的丈夫嗜酒，常常喝醉。一天夜里他锁上门出去，不知到哪儿去了。有人说邻居菜园的水井旁有双鞋子，卫婆赶去一看，果然是丈夫的。探头看井里，尸体也在里面。大家认为院墙不矮，醉鬼怎么能跳得过去呢？而且投井为什么要脱掉鞋子？大家都非常疑惑，就去问看菜园的。他说这天他卖菜没有回来，只有他的妻子带着儿子在屋里睡觉。他妻子说夜里听到墙外有两个人邀请客人，随后又听到拉扯挽留客人的声音，接着嘭地一声响，像有人从墙头跳下来，声音便在墙内了。又听到请客人进屋坐，这回声音就在水井旁边了。一会儿，听到催促客人脱鞋上床的声音，接着又是嘭地一声响，于是就无声了。这个地方本来就经常闹鬼，我没把它当回事儿，没料到是人掉进井里。这大概是淹死鬼寻找替身吧？于是人们填了这口井，后来再没发生异常情况。

佻薄者戒

【原文】

乾隆甲子，余在河间应科试。有同学以帕幂首，云堕驴伤额也。既而有同行者知之，曰："是于中途遇少妇，靓妆独立官柳下，忽按辔问途。少妇曰：'南北驿路，车马往来，岂有迷途之患？尔直欺我孤立耳。'忽有飞瓦击之，流血被面。少妇径入秫田去，不知是人是狐是鬼也。但未见举手，而瓦忽横击，疑其非人；鬼又不应白日出，疑其狐矣。"高梅村曰："此不必深问，无论是人是鬼是狐，总之当击耳。"

又丁卯秋，闻有京官子，暮过横街东，为娼女诱入室。突其夫半夜归，胁使尽解衣履，裸无寸缕，负置门外丛冢间。京官子无计，乃号称遇鬼，有人告其家迎归。姚安公时官户部，闻之笑曰："今乃知鬼能作贼。"此均足为佻薄者戒也。

【译文】

乾隆九年,我在河间府参加科考,有一个同学用手帕包着头,说是从驴背上掉下来摔伤了额头。后来和他一起来的人说出了真情:他在中途遇到一位少妇,浓妆艳抹,站在官道边的柳树下。他突然拉住缰绳向她问路。少妇说:"南北大道往来的车马很多,怎么可能迷路呢?你不过是欺我孤身一人。"突然有块瓦打中了他,当即血流满脸。少妇却径直走进高粱地里,也不知道她是人是狐还是鬼。没见她抬手,瓦却横打过来,怀疑她不是人。鬼又不应该白天出来,估计是狐。高梅村说:"这事不必深究。无论她是人是狐还是鬼,总之应当打他。"

乾隆二十年秋天,我听说有位京官的儿子,晚上路过横街东口,被妓女诱骗进屋。突然,她的丈夫半夜回家,胁迫他脱掉全部衣服鞋子,他赤裸裸地一丝不挂,被扛到门外的坟地里。京官的儿子没有办法,就大声叫喊,声称遇到鬼了。有人告诉他家里人,才把他接了回去。姚安公当时在户部做官,听说后笑着说:"现在才知道鬼能作盗贼。"这两件事都足以让轻薄之人引为借鉴。

幕友遇害

【原文】

廉夫又言：钟太守光豫官江宁时，有幕友二人，表兄弟也。一司号籍，一司批发，恒在一室同榻寝。一夕，一人先睡。一人犹秉烛，忽见案旁一红衣女子坐，骇极，呼其一醒。拭目惊视，则非女子，乃奇形鬼也。直前相搏，二人并昏仆。次日，众怪门不启，破扉入，视其先见者已死，后见者气息仅属，灌治得活，乃具述夜来状。

鬼无故扰人，事或有之。至现形索命，则未有无故而来者。幕府宾佐，非官而操官之权，笔墨之间，动关生死。为善易，为恶亦易。是必冤谴相寻，乃有斯变，第不知所缘何事耳。

【译文】

季廉夫又说，钟光豫太守在江宁府做官时，手下有两个幕僚，是表兄弟。一个管理户籍，一个负责批送文书。两人总在一间房子里同床睡觉。一天夜里，一个先睡，另一个还在灯下做事。忽然，他看见桌旁有一位红衣女子坐着，惊骇地大声呼叫。睡着的被叫醒，擦眼一看，不是女子，而是一个奇形怪状的鬼。鬼冲上来扑打，两个人都昏倒在地。第二天，大家奇怪门没开，就破门而入。一看，先见到鬼的那人已经死了，后见到鬼的人还有一口气。把他灌醒之后，叙述了夜里发生的事。

鬼无故扰人，这种事时有发生。至于现形索取性命，就不是没有原因的了。幕僚不是官，却掌握着实权，笔墨文字，往往关系人的生死。做好事容易，做坏事也容易。我想这必定是冤仇寻报，才有这个变故，但不知道是因为哪件事情。

游方尼

【原文】

沧州有一游方尼，即前为某夫人解说因缘者也，不许妇女至其寺，而肯至人家。虽小家以粗粝为供，亦欣然往。不劝妇女布施，惟劝之存善心，作善事。外祖雪峰张公家，一范姓仆妇，施布一匹。尼合掌谢讫，置几上片刻，仍举付此妇曰："檀越功德，佛已鉴照矣。既蒙见施，布即我布。今已九月，顷见尊姑犹单衫，谨以奉赠，为尊姑制一絮衣可乎？"仆妇踧踖无一词，惟面赧汗下。

姚安公曰："此尼乃深得佛心。"惜闺阁多传其轶事，竟无人能举其名。

【译文】

沧州有一个游方尼姑，就是前边曾为某夫人解说因缘的那位。她不许妇女们到那寺里去，却肯到人家里，即便小家小户用粗茶淡饭招待，她也高兴去。她不劝说妇女们布施，只劝她们存善心，做善事。我外祖父张雪峰先生家里有一个姓范的仆妇，捐献了一匹布料。尼姑表示感谢后，把布料放在桌上片刻，又还给仆妇，说："施主的功德，佛已经知道了。既然承蒙你捐献，这布料就是我的了。现在到了九月，刚才见你婆婆还穿着单薄的衣裳，我把这布送给你，给你婆婆做一件棉衣好吗？”仆妇说不出一句话，满脸通红，汗直往下流。

先父姚安公说：“这个尼姑是真正领会了佛家的精髓。”可惜关于她的轶事流传不少，却没人能说出她的名字。

朋友规过

【原文】

董曲江言：一儒生颇讲学，平日亦循谨无过失，然崖岸太甚，动以不情之论责人。友人于五月释服，七月欲纳妾，此生抵以书曰：“终制未三月而纳妾，知其蓄志久矣。《春秋》诛心，鲁文公虽不丧娶，犹丧娶也。朋友规过之义，不敢不以告。其何以教我？”其持论大抵类此。

一日，其妇归宁，约某日返，乃先期一日。怪而诘之。曰：“吾误以为月小也。”亦不为讶。次日，又一妇至，大骇愕。觅昨妇，已失所在矣。然自是日渐尪瘠，因以成痨。盖狐女假形摄其精，一夕所耗已多矣。前纳妾者闻之，亦抵以书曰：“夫妇居室，不能谓之不正也；狐魅假形，亦非意料之所及也。然一夕而大损真元，非恣情纵欲不至是。无乃燕昵之私，尚有不节以礼者乎？且妖不胜德，古之训也。周、张、程、朱，不闻曾有遇魅事。而此魅公然犯函丈，无乃先生之德，尚有所不足乎？先生贤者也，责备贤者，《春秋》法也。朋友规过之义，不敢不以告。先生其何以教我？”此生得书，但力辩实无此事，里人造言而已。

宋清远先生闻之曰："此所谓以子之矛，陷子之盾。"

【译文】

据董曲江说，有位儒生很注重讲求学问，平时也循规蹈矩，没什么过失。但他性情高傲，动不动就责难别人。有个朋友在五月除了孝服，七月就想娶妾。这个儒生写信指责道："服完孝不满三个月就娶妾，可见你蓄谋已久了。《春秋》对动机追究极严，鲁文公虽说不是在守丧时婚娶，但等于在丧期婚娶。因为朋友有规劝过错的义务，所以不得不提醒你。你怎么回答我？"他的看法一般都类似于这样。

一天，他妻子回娘家，约定某一天回来，却提前一天回来了。他很奇怪地责问，妻子回答说："我记错了，还以为这月小呢。"儒生也没在意。第二天，又一个妻子回到家里，他大为惊愕，再找昨天那个，已经不见了。然而，从此他日渐瘦弱，因此得了痨病。大概狐女假冒他妻子摄取了他的精气，一晚上就耗去了很多。前面说的娶妾的那个朋友听说了此事，也给他写了封信说道："夫妻同居，不能说不正当。狐魅假托人形，也是不能意料到的。但是一夜就大伤元气，不是纵欲不至于这样吧。难道男女私情，不能以礼法来节制吗？况且妖魅不能胜过有德之人，这是古人的训教。周敦颐、张载、二程、朱熹，没听说他们遇到妖魅。而这个狐女公然冒犯先生，莫不是先生的德行还存在不完美的地方？先生是贤人，求全责备圣贤是《春秋》的大旨。朋友有规劝过错的义务，因此不敢不说出我的想法。你将怎么来回答我？"儒生收到书信，极力辩解，说是乡里人造谣而已。

宋清远先生听了这件事后说："这就是所谓以子之矛，攻子之盾。"

狼子野心

【原文】

沧州一带海滨煮盐之地，谓之灶泡。袤延数百里，并斥卤不可耕种，荒草粘天，略如塞外，故狼多窟穴于其中。捕之者掘地为阱，深数尺，广三四尺，以板覆其上，中凿圆孔如盂大，略如枷状。人蹲阱中，携犬子或豚子，击使嗥叫。狼闻声而至，必以足探孔中攫之。人即握其足立起，肩以归。狼隔一板，爪牙无所施其利也。然或遇其群行，则亦能搏噬。故见人则以喙据地嗥，众狼毕集，若号令然，亦颇为行客道途患。

有富室偶得二小狼，与家犬杂畜，亦与犬相安。稍长，亦颇驯，竟忘其为狼。一日，主人昼寝厅事，闻群犬呜呜作怒声，惊起周视，无一人。再就枕将寐，犬又如前。乃伪睡以俟，则二狼伺其未觉，将啮其喉，犬阻之不使前也。乃杀而取其革。

此事从侄虞惇言。狼子野心，信不诬哉！然野心不过遁逸耳，阳为亲昵，而阴怀不测，更不止于野心矣。兽不足道，此人何取而自贻患耶？

【译文】

沧州海滨煮盐的地方叫灶泡。方圆几百里都是盐碱地，也不能耕种，荒草连天，有点像塞外地区，所以狼群多以此为巢穴。捉狼的人挖陷阱，有几尺深，三四尺宽，用木板覆盖在上面，中间凿一个盂一样大小的圆洞，有点像木枷的形状。人蹲在陷阱中，带着小狗或小猪，打它让它叫唤。狼听见声音把爪子伸到圆洞里抓，人就抓住狼脚站起来，肩扛着回家。狼隔着木板，没法施展它锐利的爪牙。可有时遇到狼群，也能把人吃掉。狼见到人就用嘴贴着地嗥叫，狼群便应声来，像听到号令一样，因此成了来往旅客的祸害。

有一个富户偶然捉得两只小狼，和家犬一起养着，小狼和家犬也相安无事。稍微长大了，它也很驯服，主人竟忘了它们是狼。有一天，主人白天睡在客厅里，听见狗呜呜地叫，听上去很愤怒他惊醒后四面察看，没有一个人。他躺下又睡，狗又像先前那样叫起来。他就假装睡着观察，却见两只狼趁他睡觉，要咬他的喉咙，家犬阻挡着不让上前。于是他把狼杀了，剥了它们的皮。

这件事是侄儿虞惇讲的。狼子野心，确实一点不假啊。但野心不过是逃跑罢了，而表面装作亲近，背地却包藏杀机，就不只是野心了。野兽本不值一提，这个人为什么要养狼而自留祸患呢？

地 仙

【原文】

王史亭编修言：有崔生者，以罪戍广东。恐携孥有意外，乃留其妻妾，只身行。到戍后，穷愁抑郁，殊不自聊。且回思少妇登楼，弥增忉怛。偶遇一叟，自云姓董，字无念。言颇契，愍其流落，延为子师，亦甚相得。一夕，宾主夜酌，楼高月满，忽动离怀，把酒倚栏，都忘酬酢。叟笑曰："君其有'云鬟玉臂'之感乎？托在契末，已早为经纪，但至否未可知，故先不奉告，旬月后当有耗耳。"

又半载，叟忽戒童婢扫治别室，意甚匆遽。顷之，则三小肩舆至，妻妾及一婢揭帘出矣。惊

喜怪问，皆曰：“得君信相迓，嘱随某官眷属至。急不能久待，故草草来。家事托几房几兄代治，约岁得租米，岁岁鬻金寄至矣。”问：“婢何来？”曰：“即某官之媵，嫡不能容，以贱价就舟中鬻得也。”生感激拜叟，至于涕零。从此完聚成家，无复故园之梦。越数月，叟谓生曰：“此婢中途邂逅，患难相从，当亦是有缘。似当共侍巾栉，无独使向隅也。”

又数载，遇赦得归，生喜跃不能寐，而妻妾及婢俱惨惨有离别之色。生慰之曰：“尔辈恋主人恩耶？倘不死，会有日相报耳。”皆不答，惟趣为生治装。濒行，翁治酒作饯，并呼三女出曰：“今日事须明言矣。”因拱手对生曰：“老夫地仙也。过去生中，与君为同官，殁后，君百计营求，归吾妻子，恒耿耿不忘。今君别鹤离鸾，自合为君料理。但山川绵邈，二孱弱女子何以能来？因摄召花妖，俾先至君家中半年，窥尊室容貌语言，摹拟俱似，并刺知家中旧事，使君有证不疑。渠本三姊妹，故多增一婢耳。渠皆幻相，君勿复思。到家相对旧人，仍与此间无异矣。”生请与三女俱归，叟曰：“鬼神各有地界，可暂出不可久越也。”三女握手作别，洒泪沾衣，俯仰间已俱不见。登舟时，遥见立岸上，招之不至矣。

归后，妻子具言家日落，赖君岁岁寄金来，

得活至今。盖亦此叟所为也。

使世间离别人皆逢此叟，则无复牛女银河之恨矣。史亭曰："信然。然粤东有地仙，他处亦必有地仙；董叟有此术，他仙亦必有此术。所以无人再逢者，当由过去生中，原未受恩，故不肯竭尽心力，缩地补天耳。"

【译文】

据翰林院编修王史亭说，崔某因犯罪发配到广东，他担心携带家眷会发生意外，就把妻妾留在家中，一人前往。到了发配地后，贫穷忧郁不能排解，常常回忆过去那种"少妇登楼"的情景，更增添了无限忧愁。他偶然遇到一位老人，自称姓董，字无念。两人很谈得来。老人同情他的遭遇，便请他担任儿子的老师，师生之间也很融洽。一天晚上，两人对酌，面对高楼满月的景色，崔某心中顿生离愁别绪，便手持酒杯，靠着栏杆，忘了身边还有别人。老人笑着说："您是怀念家人了吧？我是你的朋友，早已为您安排了，但不知什么时候到，所以没告诉您。再过十天半月，就会有信了。"

过了半年，老人让童仆婢女打扫出一间房子，看样子非常匆忙。过不一会儿，就有三乘小轿来到，崔某的妻妾和一个婢女挑起帘子走了出来。崔生惊喜万分，问怎么来的。她们说收到郎君的书信，嘱咐我们随同某位官员的眷属来。因那官员不能久等，所以我们急急忙忙就来了。家里的事托给第几房的第几兄代为管理，约定每年收取租米，卖了钱给我们寄来。崔某问："婢女是哪里来的？"妻妾说："是那位官员的小妾，夫人不能容她，就用便宜价钱在船中买了下来。"崔生感激地拜谢老人，流下了泪。从这以后，崔某不再想念故园家乡了。

过了几个月，老人对崔某说："这个婢女是中途偶然遇到的，一路患难与共相随到这儿，也是和你有缘，好像应该和妻妾一样陪你安寝，不要撇下她不管。"

又过了几年，崔某遇到赦免，可以回去了。他高兴得睡不着觉，但是妻妾婢女却凄惨悲伤，好像要离别的神色。崔某安慰她们说："你们是感念主人对我们的恩情吧？假如不死，会有报答他的一天。"妻妾们都不答话，只是忙着给他整理行装。临出发时，老人办了酒席给他饯行，同时把三个女子叫出来说："今天必须把事情讲清楚了。"于是拱手对崔某说："我是地仙，前生和您一同做官。我死后，你千方百计把我妻子送回家乡，我一直不能忘记。现在您离别故乡亲人，我自然应该为您办些事情。但山高路远，两个孱弱的女子，怎能前来？因此我摄来花妖，先让她们到您家里去住半年，观察尊夫人的容貌和说话的习惯，摹仿得差不多，并了解家中旧事，使您不生疑心。她们本是姊妹三个，所以增加了一个婢女。她们的形象都是变幻的，您不要再思念了。回家见妻妾，和在这里所见不会有区别。"崔生请求三个女子同他一起回乡。老人说："鬼神各有地界，暂时离开可以，但不能长期不归。"三个女子握手话别，泪湿衣裳，忽然间都不见了。上船时，他远远望见她们站在河岸上，招呼她们也不过来。

回到家后，妻子说家境一天天衰落，依靠郎君年年寄些钱回来，才得以活到现在。原来这也全是那老人做的。

假使世间离别的人都能遇到这个老人，就不再有牛郎、织女离别之恨了。王史亭说："这话不错。然而广东有地仙，别的地方也必定有；董老能有这种法术，别的地仙也必定有这种法术。之所以再也没有人遇到这种事，可能是前生没有得到恩惠，所以地仙不愿施展缩地补天的神术相报。"

争礼数

【原文】

冯御史静山家，一仆忽发狂自挝，口作谵语云："我虽落拓以死，究是衣冠。何物小人，傲不避路？今惩尔使知。"静山自往视之，曰："君白昼现形耶？幽明异路，恐于理不宜。君隐形耶？则君能见此辈，此辈不能见君，又何从而相避？"其仆俄如昏睡，稍顷而醒，则已复常矣。

门人桐城耿守愚，狷介自好，而喜与人争礼数。余尝与论此事，曰："儒者每盛气凌轹，以邀人敬，谓之自重。不知重与不重，视所自为。苟道德无愧于圣贤，虽王侯拥篲不能荣，虽胥靡版筑不能辱。可贵者在我，则在外者不足计耳。如必以在外为重轻，是待人敬我我乃荣，人不敬我我即辱。舆台仆妾，皆可操我之荣辱，毋乃自视太轻欤？"守愚曰："公生长富贵，故持论如斯。寒士不贫贱骄人，则崖岸不立，益为人所贱矣。"余曰："此田子方之言，朱子已驳之。其为客气不待辨，即就其说而论，亦谓道德本重，不以贫贱而自屈，非毫无道德，但贫贱即可骄人也。信如君言，则乞丐较君为更贫，奴隶较君为更贱，群起而骄君，君亦谓之能立品乎？先师陈白崖先生，尝手题一联于书室曰：‘事能知足心常惬，人到无求品自高。’斯真探本之论，七字可以千古矣。”

【译文】

冯静山御史家里有一个仆人，一天忽然发狂，自己打自己的嘴巴，口说胡话道：“我虽然落寞而死，毕竟是个绅士。哪来的小人，敢狂傲地不让路？现在要惩罚你，叫你知道厉害。”冯静山去看他，说：“你这是大白天现形么？阴阳是两个世界，这恐怕于理说不通。你隐着形，能看见我的仆人，仆人却看不见你，又怎能给你让路？”一会儿仆人像是昏睡，不久醒来，又正常了。

我的门人桐城人耿守愚，性情耿直，洁身自好，却爱和人争论礼仪。我曾和他谈及此事，说：“儒者常常盛气凌人，想以这种方法来求得别人的尊重，说这就叫自重。他们不知道别人对他尊重与否，要看

他做得怎样。如果德行无愧于圣贤，即使王侯亲自扫路迎接他，也不能使他荣耀；像罪犯一样去筑墙，也不能让他受辱。可贵的是自己怎样，外在的东西是不值得去计较的。如果一定要以外在的东西来衡量轻重，这就是说，别人敬重我，我才荣耀，别人不敬重我，我就受辱。那么奴仆婢妾都可以操纵我的荣辱，这不是把自己看得太轻了么？"耿守愚说："先生生长在富贵人家，所以有这种看法。贫寒之士不以自己的贫贱自傲，就不能显示自尊和清高，就更被人轻视了。"我说："这是田子方的话，朱熹已经驳斥过。这种观点不过是要面子的话。就以这种看法而论，也是说德行是根本，不因贫贱而自轻。并不是说不要德行，只要贫贱就可以自傲。如果真像你说的，那么乞丐比你更穷，奴隶比你更贱，他们都来傲视你，你也认为他们能够自尊自重么？我的老师陈白崖先生，曾写了一副对联挂在书房，对联道：'事能知足心常惬，人到无求品自高。'这对联真是说到了根本上，七个字可以流传千古了'。"

野 人

【原文】

乌鲁木齐遣犯刚朝荣言：有二人诣西藏贸易，各乘一骡，山行失路，不辨东西。忽十余人自悬崖跃下，疑为夹坝。渐近，则长皆七八尺，身毵毵有毛，或黄或绿，面目似人非人，语啁哳不可辨。知为妖魅，度必死，皆战栗伏地。十余人乃相向而笑，无搏噬之状，惟夹人于胁下，而驱其骡行。至一山坳，置人于地，二骡一推堕坎中，一抽刃屠割，吹火燔熟，环坐吞啖。亦提二人就坐，各置肉于前。察其似无恶意，方饥困，亦姑食之。既饱之后，十余人皆扪腹仰啸，声类马嘶。中二人仍各夹一人，飞越峻岭三四重，捷如猿鸟，送至官路旁，各予以一石，瞥然竟去。石巨如瓜，皆绿松也。携归货之，得价倍于所丧。

事在乙酉、丙戌间，朝荣曾见其一人，言之甚悉。此未知为山精，为木魅，观其行事，似非妖物。殆幽岩穹谷之中，自有此一种野人，从古未与世通耳。

【译文】

乌鲁木齐的充军犯刚朝荣说，有两人到西藏做生意，各骑着一头骡子，在山中迷了路，分不清东西南北。忽然有十多人从悬崖上跳下来，他们以为遇上了劫盗。近前一看，这些人都身高七八尺，浑身长着黄色或绿色的毛，容貌似人非人，说话像鸟叫，听不懂。两人知道遇上了妖怪，以为必死无疑，便颤抖着趴在地上。这十多人却相视而笑，并没有抓来活吃的意思，只是把两人夹在腋下，赶着骡子走。到了一个山坳，把人放在地上，把一头骡子推入坑中，拔刀杀了另一头，点火烧熟，围坐着大吃起来。他们把两个商人拎来就坐，在面前放上肉。这两人看他们好像没有恶意，正饿得慌，便吃起来。吃饱之后，这十多人拍着肚子仰头长啸，声音像马嘶。其中两人仍各夹着一个人，攀越了三四道峻岭，敏捷得像猿猴飞鸟。他们把两人送上大道后，各赠了一个石头，转眼便不见了。这石头像瓜那么大，是绿松石。两人回来卖掉了绿松石，所得的钱比他们所受损失多一倍。

这事发生在乾隆三十、三十一年间。刚朝荣曾见过其中一人，说得很详细。不知这是山精还是木魅，看他们的作为，好像不是妖怪。可能在崇山幽谷之中本来就有这么一种野人，自古以来就与世隔绝吧。

杨勤悫公

【原文】

裘超然编修言：杨勤悫公年幼时，往来乡塾，有绿衫女子时乘墙缺窥之。或偶避入，亦必回眸一笑，若与目成。公始终不侧视。一日，拾块掷公曰："如此妍皮，乃裹痴骨！"公拱手对曰："钻穴逾墙，实所不解。别觅不痴者何如？"女子忽瞠目直视曰："汝狡黠如是，安能从尔索命乎？且待来生耳。"散发吐舌而去，自此不复见矣。此足见立心端正，虽冤鬼亦无如何。又足见一代名臣，在童稚之年，已自树立如此也。

【译文】

据裘超然编修说，杨勤悫公小时候来往于私塾，常见一个绿衫女子在墙缺口偷看他。有时偶尔避开，也回眸一笑，好似送情。杨勤悫公始终目不斜视。有一天，绿衫女用土块掷杨勤悫公说："这么漂亮的外表，却裹着一副傻骨头。"杨勤悫公拱手答道："翻墙钻洞之事我不会，你另找不傻的怎样？"绿衫女怒目而视说："你这么狡黠，怎能索得你的命？且等下辈子吧。"说罢化作一个披发吐舌的鬼离去了，从此再没出现。可见立心端正之人，冤鬼也无可奈何。又可见一代名臣在小时候就能有如此高的志向。

李　生

【原文】

太白诗曰："徘徊映歌扇，似月云中见；相见不相亲，不如不相见。"此为冶游言也。人家夫妇有睽离阻隔，而日日相见者，则不知是何因果矣。

郭石洲言：中州有李生者，娶妇旬余而母病，夫妇更番守侍，衣不解结者七八月。母殁后，谨守礼法，三载不内宿。后贫甚，同依外家。外家亦仅仅温饱，屋宇无多，扫一室留居。未匝月，外姑之弟远就馆，送母来依姊。无室可容，乃以母与女共一室，而李生别榻书斋，仅早晚同案食耳。

阅两载，李生入京规进取，外舅亦携家就幕江西。后得信，云妇已卒。李生意气懊丧，益落拓不自存，仍附舟南下觅外舅。外舅已别易主人，随往他所，无所栖托，姑卖字糊口。

一日，市中遇雄伟丈夫，取视其字，曰："君书大好，能一岁三四十金，为人书记乎？"李生喜出望外，即同登舟。烟水渺茫，不知何处。至家，供张亦甚盛。及观所属笔札，则绿林豪客也。无可如何，姑且依止。虑有后患，因诡易里籍姓名。

主人性豪侈，声伎满前，不甚避客。每张乐，必召李生。偶见一姬，酷肖其妇，疑为鬼，姬亦时时目李生，似曾相识。然彼此不敢通一语。盖其外舅江行，适为此盗所劫，见妇有姿首，并掠以去。外舅以为大辱，急市薄槥，诡言女中伤死，伪为哭敛，载以归。妇惮死失身，已充盗后房，故于是相遇。然李生信妇已死，妇又不知李生改姓名，疑为貌似，故两相失。大抵三五日必一见，见惯亦不复相目矣。

如是六七年，一日，主人呼李生曰："吾事且败，君文士，不必与此难。此黄金五十两，君可怀之，藏某处丛荻间。候兵退，速觅渔舟返。此地人皆识君，不虑其不相送也。"语讫，挥手使急去伏匿。未几，闻哄然格斗声。既而闻传呼曰："盗已全队扬帆去，且籍其金帛妇女。"时已曛黑，火光中窥见诸乐伎皆披发肉袒，反接系颈，以鞭杖驱之行。此姬亦在内，惊怖战栗，使人心恻。

明日，岛上无一人，痴立水次。良久，忽一人棹小舟呼曰："某先生耶？大王故无恙，且送先生返。"行一日夜，至岸，惧遭物色，乃怀金北归。

至则外舅已先返，仍住其家，货所携，渐丰

裕。念夫妇至相爱，而结褵十载，始终无一月共枕席。今物力稍充，不忍终以薄槥葬，拟易佳木；且欲一睹其遗骨，亦夙昔之情。外舅力沮不能止，词穷吐实。急兼程至豫章，冀合乐昌之镜。则所俘乐伎，分赏已久，不知流落何所矣。每回忆六七年中，咫尺千里，辄惘然如失。又回忆被俘时，缧绁鞭箠之状，不知以后摧折，更复若何，又辄肠断也。从此不娶，闻后竟为僧。

戈芥舟前辈曰："此事竟可作传奇，惜末无结束，与《桃花扇》相等。虽曲终不见，江上峰青，绵邈含情，正在烟波不尽，究未免增人怊怅耳。"

【译文】

李白有诗道："徘徊映歌扇，似月云中见；相见不相亲，不如不相见。"这是为狎妓而作的诗。世上还真有不能亲热，却天天相见的夫妇，不知这是什么因果报应。

据郭石洲说，中州有位李某，娶妻才十多天，母亲便病了。两人轮番守护，有七八个月衣不解带。母亲死后，两人严守礼法，三年之内不同床。后来穷得不行了，两人投奔到岳父家。岳父家也只能温饱，没有多余的房子，打扫出一间房子给他们住。不到一个月，李某岳母的弟弟到远处去设馆教书，把母亲送来投靠姐姐。没有房子可住，李某的妻子便和她同住一个屋，李某则睡在书房里。夫妻两人只是早晚在一起吃吃饭。

过了两年，李某进京求功名，他岳父也带着家眷到江西去当幕僚。后来李某收到一封信，说妻子已去世。李某灰心丧气，越发落魄，便搭船南下去找岳父。这时岳父已换了主人，到别处去了。李某无依无靠，姑且以卖字为生。

有一天在市上遇见一位身材高大魁伟的人，看了他的字，说："你的字真不错，一年给你三四十两银子，请你当书记，你干吗？"李某喜出望外，便一起上船。一路烟波浩渺，到了他家，场面很大。等看了要写的文书，才知道主人是个绿林侠客。他无可奈何，只好暂且住下来。他怕以后遭祸，因此改了籍贯和姓名。

主人性情豪爽，养了许多歌姬舞女，也不大避客人。每次宴乐，必召李某来。他偶然见到一个侍女酷似自己的妻子，便怀疑是鬼。而那位侍女也不时看李某，似曾相识一样。但彼此都不敢说一句话。原来李某的岳父乘船时被这个绿林客劫住，他看李妻有姿色，便一并掳掠而去。岳父认为这是奇耻大辱，便买来一个薄棺，谎称女儿死了，假装哭着装敛完毕，载空棺回去了。李妻怕死因而失身，已充任劫盗的姬妾，所以在此相遇。然而李某相信妻子已死，他的妻子又不知道他已改了姓名，以为此人不过与丈夫长得像，双方都想不到。他们大约三五天必定要见一面，见惯了也就不再注意了。

就这样过了六七年，有一天主人对李某说："我的事要败露了，你是文人，不必遭这场难。这是黄金五十两，你可拿去，藏在某处芦苇间。等官兵退了，你赶紧找条渔船回去。这儿的人都认识你，他们会送你。"说完便打发他速去躲藏。不久，便听到格斗声。过了一会儿听到有人说："盗贼都逃了，把财物、妇女登记一下。"当时天已黑了，他在火光中瞧见那些歌姬舞女都披头散发、敞胸露怀地反绑着，被鞭子赶着走，那位侍女也在其中，吓得浑身颤抖，使人痛心。

第二天，岛上一个人也没有了。李某呆立在岸边，过了好久，有一个人驾着小船叫道："是某某先生么？大王平安无事，我来送先生回去。"他上船走了一昼夜，上了岸。他怕被认出逮住，便带着银子北上回家。

这时他岳父已先一步到家，李某便仍住岳父家。卖掉了金子，生活渐渐好起来。他念及夫妻相爱，而结婚十年，在一起同床共枕还不到一个月。如今财力渐厚，不忍心用薄棺葬着妻子，打算换一副好木料，并且看一眼妻子的遗骨，也算是夫妻一场。岳父力阻无效，只好说了实话。李某日夜兼程到了豫章，期望破镜重圆。然而被捉来的歌姬舞女都分赏给官兵了，不知她流落到什么地方去了。李某回忆起这六七年中两人近在眼前，却似相隔千里，便怅惘如有所失。又想起妻子被俘时，遭捆绑挨鞭打的样子，更不知后来还受些什么苦，不禁哀伤肠断。李某从此没有再娶，听说后来竟削发为僧。

戈芥舟老先生说："这事可以写一篇传奇，可惜没有个好结尾，和《桃花扇》差不多，有曲终人不见，江上数峰青的缠绵之情。正因为江上烟波弥漫，才给人增添了无限惆怅。"

紫桃

【原文】

金可亭言：有赵公者，官监司。晚岁家居，得一婢曰紫桃，宠专房，他姬莫当夕。紫桃亦婉娈善奉事，呼之必在侧，百不一失。赵公固聪察，疑有异，于枕畔固诘。紫桃自承为狐，然夙缘当侍公，与公无害。昵爱久，亦弗言。家有园亭，一日立两室间，呼紫桃，则两室各一紫桃出。乃大骇，紫桃谢曰："妾分形也。"

偶春日策杖郊外，逢道士与语，甚有理致，情颇洽。问所自来，曰："为公来。公本谪仙，限满当归三岛。今金丹已为狐所盗，不可复归。再不治，虑寿限亦减。仆，公旧侣，故来视公。"赵公心知紫桃事，邀同归。

道士踞坐厅事，索笔书一符，曼声长啸。邸中纷纷扰扰，有数十紫桃，容色衣饰，无毫发差，跪庭院皆满。道士呼真紫桃出，众相顾曰："无真也。"又呼最先紫桃出，一女叩额曰："婢子是。"道士叱曰："尔盗赵公丹已非，又呼朋引类，务败其道，何也？"女对曰："是有二故。赵公前生，炼精四五百年，元关坚固，非更番迭取不能得。然赵公非碌碌者，见众美遝进，必觉为蛊惑，断不肯纳。故终始共幻一形，匿其迹也。今事已露，愿散去。”

道士挥手令出，顾赵公太息曰：“小人献媚旅进，君子弗受也。一小人伺君子之隙，投其所尚，众小人从而阴佐之，则君子弗觉矣。《易·姤卦》之初六，一阴始生，其象为系于金柅。柅以止车，示当止也。不止则覆霜之初，即坚冰之渐，浸假而《剥卦》六五至矣。今日之事，是之谓乎？然苟无其隙，虽小人不能伺；苟无所好，虽小人不能投。千里之堤，溃于蚁漏，有罅故也。公先误涉旁门，欲讲容成之术；既而耽玩艳冶，失其初心。嗜欲日深，故妖物乘之而麇集。衅因自起，于彼何尤？此始此终，固亦其理。驱之而不谴，盖以是耳。吾来稍晚，于公事已无益。然从此摄心清静，犹不失作九十翁。”再三珍重，瞥然而去。赵公后果寿八十余。

【译文】

据金可亭说，有一个赵公任职监司，晚年辞官在家。有一个婢女叫紫桃，很得赵公宠爱，晚上其他姬女都没份。紫桃婉转妩媚懂事，一叫必在身边，从无差错。赵公明察，怀疑不大对头，在枕畔再三追问，紫桃才承认自己是狐狸，不过与赵公有缘分，对赵公并无害处。赵公宠爱她已久，也不追究了。赵家花园有个亭子，一天，赵公站在两个屋子之间喊紫桃，只见两间屋子各出来一个紫桃。赵公大惊。紫桃道歉说:“这是我的分身。”

一个春日,赵公去郊外,遇见一道士,闲谈起来,很是投缘融洽。赵公问他到此有什么事,道士说:“我为你来的。你本来是被贬下凡的仙人,限期一满,你就会重返三岛。如今金丹已被狐狸偷去,你再不能回去了。如果还不镇治,恐怕寿命也得减少。我是你的老友,所以来看你。”赵公心知是紫桃的事,便邀请道士一起回家。

道士大模大样地坐在大厅上,要纸笔画了一道符,拉长声音长啸。宅中一时纷纷扰扰,有几十个紫桃,长相衣饰都毫无差别,一起跪在庭院里,几乎占满了庭院。道士喊真紫桃出来,紫桃们相互看看,说:“没有真的。”道士又喊最早的紫桃出来,其中一个叩头说:“婢子是。”道士斥责道:“你偷赵公的金丹,已是罪过,又呼朋唤友来,非得要败坏他的道行,为什么?”婢女回答:“有两个原因。赵公前生已炼精四五百年,元关坚固,如果不轮番摄取,是得不到金丹的。然而赵公不是糊涂的人,见许多美女联翩而至,必会察觉是来蛊惑他的,他就肯定不愿接纳了。所以我们始终化作一个人,隐藏了本来面目。如今事已败露,我们愿意离去。”

道士挥手叫她们走，然后看着赵公叹息道："小人一起来献媚，君子不会接受。一个小人抓住君子的短处投其所好，其他小人从而暗中辅助，那么君子就觉察不到了。《易》中姤卦初六的卦形为一阴始生，它的'象'是'系于金柅'。柅是用来停车的，表示应当停止。不停止就踩上了霜，就是踏上坚冰的第一步。渐渐地剥卦六五就来了。今天这件事，就是这样的吧。如果没有机会，小人无机可乘；如果无所好，小人也就无所投了。千里之堤溃于蚁穴，是因为有了缝隙。你先误入旁门左道，要学容成公的法术。之后又沉溺美色，这就违背了初衷。欲望越来越多，所以妖物乘机蜂拥而来。这是你自找的，狐狸有什么错？这事就是这么个理。我赶走它们而不加惩罚，也是这个原因。我来得晚了些，对你的事无所帮助了。但是你从此收回心来，清静修养，还能当一个九十岁的老翁。"道士叮嘱再三，飘然而去。赵公后来果然活了八十多岁。

情理

【原文】

天下事，情理而已，然情理有时而互妨。里有姑虐其养媳者，惨酷无人理。遁归母家，母怜而匿别所，诡云未见，因涉讼。姑以朱老与比邻，当见其来往，引为证。朱私念言女已归，则驱人就死；言女未归，则助人离婚。疑不能决，乞签于神。举筒屡摇，签不出。奋力再摇，签乃全出。是神亦不能决也。辛彤甫先生闻之曰："神殊愦愦。十岁幼女，而日日加炮烙，恩义绝矣，听其逃死不为过。"

【译文】

天下之事，无非情理二字，然而有时情与理互相冲突。我家乡有个婆婆虐待童养媳，惨无人道。童养媳逃回了娘家，母亲可怜她，把她藏到别处，谎称没见女儿，于是两家打起了官司。婆婆以朱老和童养媳家是邻居，应该见到童养媳来往，因此请他作证。朱老私下里想，说童养媳回来了，等于把人往死里推；说她没回来，等于帮人离婚。因此犹豫不决，就到神庙去求签。他举着签筒摇了几次，怎么摇也不出签。用力再摇，又全被摇出来了。可见神也判不了这事。辛彤甫先生听了说："神也太糊涂了。十岁幼女，天天受炮烙酷刑，恩义早已断绝，任由她逃命不为过。"

假面人

【原文】

董曲江前辈言:有讲学者,性乖僻,好以苛礼绳生徒。生徒苦之,然其人颇负端方名,不能诋其非也。塾后有小圃,一夕,散步月下,见花间隐隐有人影。时积雨初晴,土垣微圮,疑为邻里窃蔬者。迫而诘之,则一丽人匿树后,跪答曰:"身是狐女,畏公正人,不敢近,故夜来折花。不虞为公所见,乞曲恕。"言词柔婉,顾盼间百媚俱生。讲学者惑之,挑与语。宛转相就,且云妾能隐形,往来无迹,即有人在侧,亦不睹,不至为生徒知也。因相燕昵。比天欲晓,讲学者促之行。曰:"外有人声,我自能从窗隙去,公无虑。"俄晓日满窗,执经者麕至,女仍垂帐偃卧。讲学者心摇摇,然尚冀人不见。忽外言某媪来迓女,女披衣径出,坐皋比上,理鬓讫,敛衽谢曰:"未携妆具,且归梳沐。暇日再来访,索昨夕缠头锦耳。"乃里中新来角妓,诸生徒贿使为此也。讲学者大沮,生徒课毕归早餐,已自负衣装遁矣。外有余必中不足,岂不信乎?

【译文】

董曲江老先生说，有个道学家性格乖僻，好以苛刻的礼法来约束学生。学生们很讨厌他，但他一向有君子的名声，所以不能说什么坏话。学塾后面有个小园，一天晚上，道学家在月下散步，看见花丛中隐约有人影。当时久雨初晴，土墙有些淋坏了，他怀疑是邻里来偷菜的，便追上去质问，却是一个美人藏在树后，跪着回答："我是狐女，害怕你是个正人君子，不敢靠近，所以夜里来折花。不料被先生看见了，请饶恕我。"她言词柔婉，风情万种。道学家被迷住了，用话挑逗她，她便投向道学家怀中。她还说能隐形，来往无踪迹，即使旁边有人也看不见，不至于让学生们知道了。于是两人缠绵起来。到快天亮时，道学家催她走。她说："外面有人声，我能从窗缝里出去，你不必担心。"不一会儿，朝阳满窗，学生们拿着经书都来了，狐女仍然放下帐子躺在床上。道学家心神不安，但还期望别人看不见。忽然听外面说某老妈子来接女儿来了，女子披上衣服径直出来，坐在讲座上，理了一下头发，整了整衣襟，致歉说："我没带梳妆用具，暂回去梳洗，有时间再来索取酬金。"原来她是附近新来的艺妓，几个学生买通了她演出了这场戏。道学家十分沮丧，乘学生们听完课回去吃早餐，自己背着行李逃走了。外表装得过分正经，心中必然有鬼，这话难道不可信吗？

复　仇

【原文】

周景垣前辈言：有巨室眷属，连舻之任，晚泊大江中。俄一大舰来同泊，门灯樯帜，亦官舫也。日欲没时，舱中二十余人露刃跃过，尽驱妇女出舱外。有靓妆女子隔窗指一少妇曰："此即是矣。"群盗应声曳之去。一盗大呼曰："我即尔家某婢父。尔女酷虐我女，鞭棰炮烙无人理。幸逃出遇我，尔追捕未获。衔冤次骨，今来复仇也。"言讫，扬帆顺流去，斯须灭影。缉寻无迹，女竟不知其所终，然情状可想矣。夫贫至鬻女，岂复有所能为？而不虑其能为盗也。婢受惨毒，岂复能报？而不虑其父能为盗也。此所谓蜂虿有毒欤！

又李受公言：有御婢残忍者，偶以小过闭空房，冻饿死。然无伤痕，其父讼不得直，反受笞。冤愤莫释，夜逾垣入，并其母女手刃之。海捕多年，竟终漏网。是不为盗亦能报矣。

又言京师某家火，夫妇子女并焚，亦群婢怨毒之所为。事无显证，遂无可追求。是不必有父亦自能报矣。

余有亲串，鞭笞婢妾，嬉笑如儿戏，间有死者。一夕，有黑气如车轮，自檐堕下，旋转如风，啾啾然有声，直入内室而隐。次日，疽发于项如粟颗，渐以四溃，首断如斩。是人所不能报，鬼亦报之矣。

人之爱子，谁不如我？其强者衔冤茹痛，郁结莫申，一决横流，势所必至。其弱者横遭荼毒，赍恨黄泉，哀感三灵，岂无神理！不有人祸，必有天刑，固亦理之自然耳。

【译文】

周景垣老人家说，有位世家大族携家属乘船去上任，晚上停泊在江上。随后也驶来一艘大船，同他的船泊在一起。那船门上挂着灯笼，桅杆上飘着旗帜，看起来也是只官船。太阳要下山时，那船上有二十多个人手持兵器跳过船来，把妇女统统赶出船舱。对面船上有个浓妆艳抹的女子隔着窗户指着其中一位少妇说："就是她。"于是强盗们就抢走了这位少妇。其中一个高声叫道："我就是你家某婢女的父亲，你家女儿虐待我的女儿，鞭打炮烙，惨无人道。幸亏她逃出来遇见了我，你们才没有捉住她。我们对你家恨之入骨，今天是特意来报仇的。"说完，他们就扬帆顺流而去，顷刻间便不见踪影。后来官府缉拿这条大船也毫无踪迹，这家女儿的结果也不知怎样，但她的处境可以预料。人家穷到卖女儿的地步，还能有什么作为呢？不料还能做强盗。婢女遭残酷虐待，难道还能报仇？不料她父亲做了强盗能报复。这真是所谓"蜂蝎有毒"啊！

李受先生又说，有个人对待婢女很残忍，因一时的小过错，便将她关在空房里，致使婢女冻饿而死。由于她身上没留下伤痕，她父亲打官司不但没赢，反而挨了板子。他咽不下这口气，就在夜里翻墙进去，将主人家的母女全杀了。官府缉捕多年，仍没捉拿归案。这说明不当强盗也能报仇啊！

他又说，京城某家起火，主人夫妇及子女都被烧死了。这是婢女们痛恨主人故意引起的火灾。由于证据不足，此案也不了了之。这说明不必靠父亲，本人也能报仇。

我有一位亲戚，随便鞭打婢女姬妾，如同儿戏，不时有人被他折磨致死。一天晚上，有一团车轮般的黑气，从屋檐上落下，有如狂风般旋转，发出啾啾的响声，直入他卧室就不见了。第二天，主人脖子上长出一个栗粒大小的疮，逐渐向四周扩散溃烂，后来，他的头像被刀砍似的断了。这说明人不能报复，鬼也能报复。

应该想到别人也和自己一样爱自己的子女。坚强的人含冤忍痛，怨气郁结不能发泄，但一旦发作就会铤而走险，是理所当然的事。那些懦弱的人横遭荼毒，他们含恨死去，其悲惨遭遇会感动三灵，神灵也会出面干涉。凶手没遭到受难者的报复，也会受到上天的惩罚，这本来是很自然的道理。

盗女破盗

【原文】

马德重言:沧州城南,盗劫一富室,已破扉入,主人夫妇并被执,众莫敢谁何。有妾居东厢,变服逃匿厨下,私语灶婢曰:“主人在盗手,是不敢与斗。渠辈屋脊各有人,以防救应,然不能见檐下。汝抉后窗循檐出,密告诸仆:各乘马执械,四面伏三五里外。盗四更后必出,四更不出,则天晓不能归巢也。出必挟主人送,苟无人阻,则行一二里必释,不释恐见其去向也。俟其释主人,急负还而相率随其后,相去务在半里内。彼如返斗即奔还,彼止亦止,彼行又随行。再返斗仍奔,再止仍止,再行仍随行。如此数四,彼不返斗则随之,得其巢。彼返斗则既不得战,又不得遁。逮至天明,无一人得脱矣。”婢冒死出告,众以为中理,如其言。果并就擒,重赏灶婢。妾与嫡故不甚协,至是亦相睦。后问妾何以办此,泫然曰:“吾故盗魁某甲女。父在时,尝言行劫所畏惟此法,然未见有用之者。今事急姑试,竟侥幸验也。”故曰:用兵者务得敌之情。又曰:以贼攻贼。

【译文】

马德重说，在沧州城南，有强盗抢劫一家富户，已经破门而入，把主人夫妇绑了起来，全家人谁也不敢反抗。有位小妾住在东厢房里，她换了身衣服逃到厨房藏了起来，悄悄地对烧火丫头说："主人落在强盗手里，所以不敢和他们斗，他们在房顶上也有人看守，为防止有人来救，但他们看不到房檐下。你扒开后窗，沿着房檐走出去，偷偷告诉那几个仆人，叫他们都骑马拿着武器，四面埋伏在三五里外的地方。强盗们在四更天后肯定要撤走，因为四更天不走，天亮就回不到他们的巢穴了。他们撤走时肯定要挟持着主人送他们。如果没人阻拦，走一二里路就会放了主人，如果还不放，他们怕主人知道他们的去向。等强盗放了主人，可赶紧把主人接回来，然后跟在强盗的后面，距离最好在半里之内。如果强盗回身杀来，我们就往回跑。他们停下，我们也停下，他们走，我们也跟着走。他们再回身杀来，我们还是往回跑。他们再停下，我们也停下，他们走，我们也跟着走。这样反复几次，他们不再返身杀来，我们就跟着他们，把他们的巢穴弄清楚。他们回身杀来却近不了我们，也摆脱不了我们。就这样相持到天亮，他们一个也跑不了。"那丫头冒险出去告诉了奴仆们。大家认为有道理，就按她的方法去做，强盗们果然全部被捕。于是烧火丫头得到重赏，妾和正妻关系一直不大和睦，至此关系也好起来了。后来正妻问妾为什么能够想出此等高招来，妾流着眼泪道："我原是某强盗头子的女儿，父亲在时，曾说去打劫就怕对方用这个办法，但没见人用过。当时情况危急，冒险一试，竟侥幸奏效。"所以说，用兵作战的人必须要了解敌手的情况。又有人说，可以以贼攻贼。

鬼之可贵者

【原文】

陈半江言:有书生月夕遇一妇,色颇姣丽。挑以微词,欣然相就。自云家在邻近,而不肯言姓名。又云夫恒数日一外出,家有后窗可开,有墙缺可逾,遇隙即来,不能预定期也。如是五六年,情好甚至。一日,书生将远行,妇夜来话别。书生言随人作计,后会无期,凄恋万状,哽咽至不成语。妇忽嬉笑曰:"君如此情痴,必相思致疾,非我初来相就意。实与君言,我鬼之待替者也。凡人与鬼狎,无不病且死,阴剥阳也。惟我以爱君韶秀,不忍玉折兰摧,故必越七八日后,待君阳复,乃肯再来,有剥有复,

故君能无恙。使遇他鬼，则纵情冶荡，不出半载，索君于枯鱼之肆矣。我辈至多，求如我者则至少，君其宜慎。感君义重，此所以报也。”语讫，散发吐舌作鬼形，长啸而去。书生震栗几失魂。自是虽遇冶容，曾不侧视。

【译文】

陈半江说，有个书生在一个月夜遇到一位妇人，长得很艳丽，他就说些轻浮的话来挑逗她，她竟很主动地迎合书生，并说她家离此不远，但不肯把姓名说出来。又说她丈夫常常隔几天就外出一次，她家有一扇后窗可以打开，墙上有个缺口，能爬进爬出。有机会就来，但无法预先订时间。就这样，书生和她交往了五六年，感情很好。有一天，书生要远行，妇人夜里来告别。书生说到要随人生计，后会无期，以至恋恋不舍，后来哽咽得说不出话来。妇人忽然笑着说：“你这样痴情，一定会得相思病。这与我同你开始交往的本意有违了。实话告诉你，我是等待替身的鬼。凡是人和鬼交合，人没有不得病致死的，这是阳气受到阴气侵蚀的缘故。不过我爱你仪表俊秀，不忍心摧残你，所以我每次都是隔七八天，等你阳气恢复之后，才再次与你相会，你的阳气受到侵蚀后又得到恢复，你才安然无恙。假如是别的鬼，就会让你纵欲无度，那么不过半年，你就会像干鱼一般了。鬼类很多，像我这样的却很少，你要多加小心。我为你深重的情义所感动，这是我报答你的原因。”说完，她就披头散发，吐出舌头变成鬼长啸着离开了。书生吓得魂飞魄散。从此即使碰到漂亮女子，也目不斜视了。

四 救

【原文】

宋清远先生言：昔在王坦斋先生学幕时，一友言梦游至冥司，见衣冠数十人累累入。冥王诘责良久，又累累出，各有愧恨之色。

偶见一吏，似相识，而不记姓名。试揖之，亦相答。因问："此并何人，作此形状？"吏笑曰："君亦居幕府，其中岂无一故交耶？"曰："仆但两次佐学幕，未入有司署也。"吏曰："然则真不知矣。此所谓四救先生者也。"

问："四救何义？"曰："佐幕者有相传口诀，曰救生不救死，救官不救民，救大不救小，救旧不救新。救生不救死者，死者已死，断无可救；生者尚生，又杀以抵命，是多死一人也，故宁委曲以出之，而死者衔冤与否，则非所计也。救官不救民者，上控之案，使冤得申，则官之祸福不可测；使不得申，即反坐不过军流耳，而官之枉断与否，则非所计也。救大不救小者，罪归上官，则权位重者谴愈重，且牵累必多；罪归微官，则责任轻者罚可轻，且归结较易，而小官之当罪与否，则非所计也。救旧不救新者，旧官已去，有所未了，羁留之恐不能偿；新官方来，有所委卸，强抑之尚可以办，其新官之能堪与否，则非所计也。是皆以君子之心，行忠厚长者之事，非有所求取，巧为舞文，亦非有所恩仇，私相报复。然人情百态，事变万端，原不能执一而论。苟坚持此例，则矫枉过直，顾此失彼，本造福而反造孽，本弭事而反酿事，亦往往有之。今日所鞫，即以此贻祸者。"

问："其果报何如乎？"曰："种瓜得瓜，种豆得豆。夙业牵缠，因缘终凑。未来生中，不过亦遇四救先生，列诸四不救而已矣。"

俯仰之间，霍然忽醒，莫明其入梦之故，岂神明或假以告人欤？

【译文】

宋清远先生说，以前他在王坦斋先生的学府中当幕僚时，有位朋友说他曾梦游到地府，看到几十位绅士陆续进来，阎王把他们责备了好一阵子，他们才又陆续退出，脸上都有愧疚的神色。

忽然，他发现一位小吏，似曾相识，却记不起名字了。他试着向对方作揖打招呼，对方也向他回了礼。于是他就问对方这都是些什么人，怎么这般模样。小吏笑着说："你身为官府中人，其中难道一个老友也没有么？"他回答说："我只有两次担任过学府的幕僚，没有在衙门里做过事。"小吏说："这样说来，你是真的不知道了。这些人都是所谓'四救先生'。"

他又问："四救是什么意思？"小吏说："在幕僚当中，流传着这样的顺口溜：救生不救死，救官不救民，救大不救小，救旧不救新。救生不救死的意思就是：死的已经死了，绝对挽救不过来，但生者却还活着，杀了他偿命，就是多死一个人。所以宁可曲意把活着的人救出来，至于死者冤不冤枉，就不去管了。救官不救民的意思是：越级上告的案件如果能得雪耻申冤，那么当地官员的祸福就不可知了。即使不予申冤雪耻，连坐也不过是发配充军，而官员的判案公道与否，就不去管了。救大不救小的意思是：把罪过推到大官身上，那么权位重的受处分也越重，而且必将牵连更多的人，而把罪过推到小官身上，那就责任轻的受罚也轻，而且容易了结，至于小官该不该去顶罪就不去管了。救旧不救新的意思是：旧官已离去，有没了的公事，再留他可能也没什么用，新官初上任，可以不理旧事，但如果强迫他干，他也可以办，至于新官是否受得了，就不去管了。以上都是出于君子之心，去做忠厚长者应做的事，并不是为了捞取一点什么，玩弄法律公文，也并不是对谁有恩仇，而暗中报复。不过人情百态，千变万化，本来就不能一概而论。如果坚持以“四救”办事，就可能矫枉过正，顾此失彼，本心是想造福，反而会造孽；本心要息事宁人，反而酿出事来。这种事情也经常发生。今天被审问的一班人，都是因此而惹下的麻烦。”

这人又问：“他们因果报应如何？”小吏说：“种瓜得瓜，种豆得豆。因前生的恩怨纠缠着，有这个因缘就总能相遇。来生这些人也必定能遇上‘四救’先生，而他们自己则是‘四不救’里面的人了。”

两人正在谈论时，这个人忽然醒来。他不知何故做了这个梦，难道是神灵要通过他把这些告诉给世人吗？

代 死

【原文】

又闻巴公彦弼言：征乌什时，一日攻城急，一人方奋力酣战，忽有飞矢自旁来，不及见也。一人在侧见之，急举刀代格，反自贯颅死。此人感而哭奠之，夜梦死者曰："尔我前世为同官，凡任劳任怨之事，吾皆卸尔；凡见功见长之事，则抑尔不得前。以是因缘，冥司注今生代尔死。自今以往，两无恩仇。我自有赏恤，毋庸尔祭也。"

此与木商事相近。木商阴谋，故谴重；此人小智，故谴轻耳。然则所谓巧者，非正其拙欤！

【译文】

曾听巴彦弼说过，出征乌什时，有一天的攻城战特别激烈，有一个人正在奋勇作战，忽然有一支流矢从旁向他飞来，这人没有发现。另外一人在旁边发现了，就连忙举刀替他遮挡，自己却被箭射穿脑袋而死。此人十分感激，就悲伤地祭奠死者。夜里梦见死者对自己说："你我前生曾是同僚，凡是任劳任怨的事，我都推给你，凡是能立功受奖的事，我则排挤你，使你靠不上边。因我俩有这一段因缘，地府判我这辈子要代替你死。从今以后，我俩无怨无恩。我也自有赏赐的抚恤金，不必劳你祭奠我了。”

这同前面说到过的木材商的事差不多。木材商因耍阴谋，所以受罚很重；这人因耍点儿小聪明，所以受罚也较轻。可见所谓的巧，不正是拙的表现吗？

老成远虑

【原文】

武强一大姓，夜有劫盗。群起捕逐，盗逸去。众合力穷追，盗奔其祖茔松柏中。林深月黑，人不敢入，盗亦不敢出。相持之际，树内旋飙四起，沙砾乱飞，人皆眯目不相见，盗乘间突围得脱。众相诧异，先灵何反助盗耶？

主人夜梦其祖曰："盗劫财不能不捕，官捕得而伏法，盗亦不能怨主人。若未得财，可勿追也。追而及，盗还斗伤人，所失不大乎？即众力足殪盗，盗殪则必告官，官或不谅，坐以擅杀，所失不更大乎？且我众乌合，盗皆死党；盗可夜夜伺我，我不能夜夜备盗也。一与为仇，隐忧方大，可不深长思乎？旋风我所为，解此结也，尔又何尤焉？"主人醒而喟然曰："吾乃知老成远虑，胜少年盛气多矣！"

【译文】

武强县有一家大户，夜里有小偷前去偷东西，便群起捕捉，小偷逃去。大家合力穷追，小偷逃到大户祖坟所在的松柏林里。林深月黑，大家一时都不敢进去，小偷也不敢出来。正在相持不下，树林里忽然刮起了旋风，飞沙走石，弄得人睁不开眼，小偷借这个机会突围逃走了。大家都感到惊讶，先人之灵为什么反而会帮助小偷呢？

主人家夜里梦见先祖说："小偷偷东西，不能不抓，如果官府捉到小偷加以惩罚，小偷也不能怨恨主人。但如果没有偷走东西，就不要穷追不舍。追上了，如果双方斗殴起来就会伤人，损失不是更大吗？即使大家能够杀了小偷，也必须向官府汇报，如果官府追究说你们擅自杀人，那损失不是更大么？何况我们是些乌合之众，而小偷们则是些死党，他们可以夜夜伺机来对付我们，我们却无法夜夜防备他们。一旦和他们结了仇，隐患就大了，能不从长计议么？旋风就是我为了解开这个仇结而刮起的，你们又为什么还要怪我呢？"主人醒来后惊叹道："我这才明白老成人有远虑，这要比年轻人气盛用事强多了。"

艾孝子寻亲

【原文】

宝坻王泗和，余姻家也。尝示余《书艾孝子事》一篇曰：艾子诚，宁河之艾邻村人。父文仲，以木工自给。偶与人斗，击之踣。误以为死，惧而逃。虽其妻莫知所往，第仿佛传闻似出山海关尔。是时妻方娠，越两月，始生子诚。文仲不知已有子，子诚幼鞠于母，亦不知有父也。迨稍有知，乃问母父所在。母泣语以故，子诚自是惘惘如有失，恒絮问其父之年齿状貌，及先世之名字，姻娅之姓氏里居。亦莫测其意，姑一一告之。比长，或欲妻以女。子诚固辞曰："乌有其父流离，而其子安处室家者？"始知其有志于寻父，徒以孀母在堂，不欲远离耳。然文仲久无音耗，子诚又生未出里间，天地茫茫，何从踪迹？皆未信其果能往。子诚亦未尝议及斯事，惟力作以养母。

越二十年，母以疾卒。营葬毕，遂治装裹粮赴辽东。有沮以存亡难定者，子诚泫然曰："苟相遇，生则共返，殁则负骨归。苟不相遇，宁老死道路间，不生还矣。"众挥涕而送之。

子诚出关后，念父避罪亡命，必潜踪于僻地。凡深山穷谷，险阻幽隐之处，无不物色。久而资斧既竭，行乞以糊口。凡二十载，终无悔心。

一日，于马家城山中遇老父，哀其穷饿，呼与语，询得其故，为之感泣。引至家，款以酒食。俄有梓人携具入，计其年与父相等。子诚心动，谛审其貌，与母所说略相似。因牵裾泣涕，具述其父出亡年月，且缕述家世及戚党，冀其或是。是人且骇且悲，似欲相认，而自疑在家未有子。子诚具陈始末，乃噭然相持哭。盖文仲辗转逃避，乃至是地，已阅四十余年，又变姓名为王友义，故寻访无迹，至是始偶相遇也。

老父感其孝，为谋归计。而文仲流落久，多逋负，滞不能行。子诚乃踉跄奔还，质田宅，贷亲党，得百金再往，竟奉以归。归七年，以寿终。

子诚得父之后，始娶妻。今有四子，皆勤俭能治生。昔文安王原寻亲万里之外，子孙至今为望族。子诚事与相似，天殆将昌其家乎？子诚佃种余田，所居距余别业仅二里。余重其为人，因就问其详而书其大略如右，俾学士大夫，知陇亩间有是人也。时癸丑重阳后二日。

案子诚求父多年，无心忽遇，与宋朱寿昌寻母事同，皆若有神助，非人力所能为。然精诚之至，故哀感幽明，虽谓之人力亦可也。

【译文】

宝坻的王泗和，是我的亲家。他曾给我看过一篇《书艾孝子事》的故事。文中说：艾子诚是宁河艾邻村人，父名叫艾文仲，以做木工为生。他因偶然和别人争斗，把对方打倒在地，误认为把人打死了，就畏罪潜逃。即使他的妻子也不知道丈夫逃到哪儿去了，只是传说好像是出了山海关。这时他妻子正怀着孕，过了两个月，就生下了艾子诚。艾文仲也不知道自己有了儿子，子诚从小由他母亲抚养，也不知道自己还有个父亲。等他稍稍懂事了，他才问母亲父亲上哪儿去了。他母亲就哭着把其中的原委告诉了他。从此以后，子诚便茫然若失，常常缠着母亲询问父亲的年龄相貌以及先人的名字，亲戚的姓名住址等。母亲当时也不知道他的想法，姑且一一告诉了他。子诚长大后，有人想把自己的女儿嫁给他，他坚决不肯，并说："哪有父亲流离在外，儿子却安居家中的？"人们这才知道他有志寻父，只是因为寡母还在，他不忍远离。但文仲杳无音信，子诚生下来后也没出过远门，天地茫茫，他上哪儿去找？因此人们都不信他真的能去寻父。子诚也没有主动提及此事，只是自己种地养活母亲。

二十年后，他母亲病逝。他把母亲安葬完毕，便整理行装，带着干粮要赶赴辽东。有人就说他父亲艾文仲生死不明，劝他别去。子诚流泪道："如果我能找到父亲，他活着就一起回来，死了就把遗骨背回来。如果找不到父亲，我宁可死在路上，也不回来了。"大家只得哭着把他送走了。

子诚出关后，估计父亲畏罪潜逃，一定会躲在偏僻的地方。于是凡是深山幽谷、艰险偏避之处，他没有不到的。时间一长，路费用光了，他靠行乞活命。寻找父亲长达二十年之久，始终没有后悔之意。

有一天，他在马家城山中，遇到一位老人。老人可怜他穷困，和他攀谈起来,问明了他的原委,也感动得哭了。老人把子诚带到家里,用酒食款待他。一会儿,有个木匠带着工具进来了,他估计木匠的年龄和父亲差不多,便心中一动。待他仔细观察木匠的长相,也和母亲说的有点相似。他便拉着木匠的衣襟哭述自己父亲逃亡的时间,并仔细讲了家世及亲戚情况,希望这人就是自己要寻找的父亲。木匠又惊又悲,正要相认,又觉得自己在家时并没有儿子。子诚又讲了事情的始末,木匠这才叫了一声,父子俩抱头痛哭。原来艾文仲辗转逃亡,才到这个地方,至此已经四十多年了。他又更改了姓名叫王友义,所以很难打听到他的踪迹,到这时父子俩才偶然相遇。

老人为艾子诚的孝心所感动,便设法让他们回老家。但艾文仲因长期漂泊流离,欠下不少债,不能回去。子诚便急忙赶回家,典卖田地房屋,向亲戚朋友借贷,弄到了一百多两银子,然后又赶紧回到马家城,终于接回了他父亲。七年之后,父亲寿终。

子诚在找到父亲之后,才娶了妻子,如今有四个儿子,都很勤劳节俭,能自立。从前,文安县的王原到万里以外的地方寻找父亲,子孙至今都是大族。子诚的事和他的事很相似。难道是老天要使他家昌盛吗?子诚租种着我家的田地,住处离我家别墅仅有二里路。我看重他的为人,因此就这件事找他问了个详细,并大略写了上面这段文字,好让士大夫们知道,在种地的农夫们中有这么一位孝子。现在是乾隆五十八年重阳节后的第二天。

按:子诚寻找父亲多年,后来与父亲无意中偶然相遇,这同宋代朱寿昌寻母的事差不多,都有好像神灵暗中护助,不是单凭人力就能做到的。不过,精诚所至,感动了阴间阳间的芸芸众生,说是靠的人力也是可以的。

人不自知取祸

【原文】

一馆吏议叙得经历，需次会城，久不得差遣，困顿殊甚。上官有怜之者，权令署典史。乃大作威福，复以气焰轹同僚，缘是以他事落职。

邵二云学士偶话及此，因言其乡有人方夜读，闻窗棂有声。谛视之，纸裂一罅，有两小手擘之，大才如瓜子。即有一小人跃而入，彩衣红履，头作双髻，眉目如画，高仅二寸余。掣案头笔举而旋舞，往来腾踏于砚上，拖带墨渖，书卷俱污。此人初甚错愕，坐观良久，觉似无他技，乃举手扑之。噭然就执。踡跼掌握之中，音呦呦如虫鸣，似言乞命。此人恨甚，径于灯上烧杀之，满室作枯柳木气，迄无他变。炼形甫成，毫无幻术，而肆然侮人以取祸，其此吏之类欤？此不知实有其事，抑二云所戏造，然闻之亦足以戒也。

【译文】

有一位馆吏经过考核后，被任命为经历官，到省会去候补。因他长期没有被授以实职，所以处境极为困难。有位上司很同情他，就让他暂且任了个典史。他却利用职权作威作福，而且还欺压同事，后来终于因别的事被罢免了。

邵二云学士偶然谈及这件事，顺便又说起这样一件事：他家乡有个人正在夜读，忽然听到窗棂上有声音，他仔细一看，只见窗纸裂开了一道缝，有两只像瓜籽那样大的小手正在扒着窗纸。随即就有一个小人跳了进来，他穿着彩色衣服和红色鞋子，头上梳着双髻，长得眉清目秀，却只有两寸多高。小人拖着案头的笔旋转着跳舞，在砚台上往来践踏，拖带着墨汁，把书本都弄脏了。这人开始时很是惊讶，但他坐看了好一会儿后，觉得那个小人没有什么能耐，就伸手去捉，一下子就捉住了。小人蜷曲在他手心里，呦呦地叫着像虫子在鸣叫，听起来好像在喊饶命。这人恨透了小人，就顺手把他放在火上烧死了，满屋都发出烧枯柳树时发出的那种气味，也并没有发生什么其他变异。刚刚一修炼成人形，还没有一点幻术，就放肆地欺负人以自取其祸，这也是属于上面所说馆吏一类的人吧。不知这是实有其事，还是邵二云开玩笑编造出来的，不过人们听了之后也足以引以为戒吧。

郭氏兄弟

【原文】

郭大椿、郭双桂、郭三槐，兄弟也。三槐屡侮其兄，且诣县讼之。归憩一寺，见缁袍满座，梵呗竞作。主人虽吉服，而容色惨沮，宣疏通诚之时，泪随声下。叩之，寺僧曰：“某公之兄病危，为叩佛祈福也。”三槐痴立良久，忽发颠狂，顿足捶胸而呼曰：“人家兄弟如是耶？”如是一语，反复不已。掖至家，不寝不食，仍顿足捶胸，诵此一语，两三日不止。大椿、双桂故别住，闻信俱来，持其手哭曰：“弟何至是？”三槐又痴立良久，突抱两兄曰：“兄固如是耶！”长号数声，一踊而绝。咸曰神殛之，非也。

三槐愧而自咎，此圣贤所谓改过，释氏所谓忏悔也。苟充是志，虽田荆、姜被，均所能为，神方许之，安得殛之？其一恸立殒，直由感动于中，天良激发，自觉不可立于世，故一瞑不视，戢影黄泉，岂神之褫其魄哉？惜知过而不知补过，气质用事，一往莫收。无学问以济之，无明师益友以导之，无贤妻子以辅之，遂不能恶始美终，以图晚盖，是则其不幸焉耳。

昔田氏姊买一小婢，倡家女也。闻人诮邻妇淫乱，瞿然惊曰："是不可为耶？吾以为当如是也。"后嫁为农家妻，终身贞洁。然则三槐悖理，正坐不知，故子弟当先使知礼。

【译文】

郭大椿、郭双桂、郭三槐是三兄弟，三槐经常欺负两位哥哥，还到县城去告他们的状。他从县里回来，在一座寺庙里休息时，只见和尚满座，一片念经声。有位施主虽然身穿表示吉祥的服装，却满脸忧伤，在宣读祈祷词以表示诚意时，声泪俱下。三槐就询问是怎么回事，有个和尚说："他哥哥病危，他来为哥哥拜佛祈祷。"三槐听后呆立了好久，忽然发了疯，捶胸顿足地喊道："人家兄弟竟然是这样啊！"他就这样反复不停地喊着这一句话。把他扶回家后，他仍不吃不睡，总是捶胸顿足，念叨着那一句话，两三天过去了还是如此。大椿、双桂原来一直跟他分开住，听到这个消息后都赶来了，拉着他的手哭诉着说："弟弟何必这样呢？"三槐听后又呆立了许久，突然抱住两位哥哥说："哥哥却原来这样好啊！"他长号了几声后，跳一下就断了气。人们都说是神灵惩罚了他，按理说不是的。

三槐因愧疚而自责，这就是圣贤所说的改过，佛家所说的忏悔。他既然能这样做，就是做到像田家兄弟和姜家兄弟那样友爱也是很容易的，神灵就应该容许他，怎么会对他施以惩罚呢？他痛苦一阵之后就死去了，主要是因为心中感动，激发起天地良心的萌生，觉得自己再也不应该活在世上，所以就两眼一闭，隐身黄泉，怎么能说是神灵夺走了他的魂魄呢？只可惜他知过而不知补过，凭意气用事，一发而不可收拾。没有学问来开导他，没有良师益友来引导他，没有贤妻来辅佐他，于是就不能以恶始而以善终，以图有个好的晚节，他的不幸也就在这里。

从前，有位田家姐姐买来一个小婢，是个妓女的女儿。这小婢偶然听人讥笑邻居的女人淫乱，就豁然吃惊地说："难道不能干这种事吗？我以为这是正常的呢。"后来她嫁给一家农户做妻子，终身贞洁。这么说来三槐以前干了些有悖于情理的事，只因为他根本不懂什么是对什么是错。所以对于子弟，首要的问题是要教育他们知礼。

轮回之说

【原文】

轮回之说，凿然有之。恒兰台之叔父，生数岁,即自言前身为城西万寿寺僧。从未一至其地,取笔粗画其殿廊门径,庄严陈设,花树行列。往验之，一一相合。然平生不肯至此寺，不知何意。此真轮回也。

朱子所谓轮回虽有，乃是生气未尽，偶然与生气凑合者,亦实有之。余崔庄佃户商龙之子，甫死即生于邻家，未弥月能言。元旦父母偶出，独此儿在襁褓。有同村人叩门，云贺新岁。儿识其语音,遽应曰:“是某丈耶？父母俱出,房门未锁,请入室小憩可也。”闻者骇笑。然不久夭逝。朱子所云,殆指此类矣。天下之理无穷,天下之事亦无穷,未可据其所见,执一端论之。

【译文】

轮回之说,确实存在。恒兰台的叔叔几岁时,就自称前身是城西万寿寺的和尚。他从来没有到过那里,却拿过笔来大略地画出了万寿寺的殿廊门径、规模陈设以及花木行列等等。拿这画去实地对照，能一一相合。但是他这一辈子都不肯去万寿寺，不知道是怎么回事。这是真的轮回。

朱熹曾说过，轮回虽然有，却只是未尽的生气偶然和生气相凑合而已，也确实有这种事。在崔庄，我的一个佃户商龙的儿子刚死去，就又在邻家出生了，还没满月就能够说话。元旦那天，父母亲偶然都出去了，只有这孩子在襁褓中，有位同村的人来敲门，说是来拜年。这孩子熟悉他的话音，马上就应道："是某某大伯么？我父母亲都出去了，房门没锁，您请进来休息一会儿好么？"这人又惊又笑。但是这孩子却不久就夭折了。朱熹所说的，可能指的就是这一类。天下的道理无穷无尽，天下的事也无穷无尽。不能仅仅根据自己的所见，持一己之论。

不可理断

【原文】

门人邱人龙言：有赴任官，舟泊滩河。夜半，有数盗执炬露刃入，众皆慑伏。一盗拽其妻起，半跪启曰："乞夫人一物，夫人勿惊。"即割一左耳，敷以药末，曰："数日勿洗，自结痂愈也。"遂相率呼啸去。怖几失魂，其创果不出血，亦不甚痛，旋即平复。以为仇耶，不杀不淫；以为盗耶，未劫一物。既不劫不杀不淫矣，而又戕其耳；既戕其耳矣，而又赠以良药，是专为取耳来也。取此耳又何意耶？千思百索，终不得其所以然，天下真有理外事也。邱生曰："苟得此盗，自必有其所以然。其所以然亦必在理中，但定非我所见之理耳。"然则论天下事，可据理以断有无哉！

【译文】

我的门生邱人龙说，有一个官员去上任，他所乘的船就停泊在滩河边。半夜时分，有几个强盗点着火把拿着刀剑来到船上，船上的人都吓得趴在船上，一动也不敢动。一个强盗把官员的妻子拖起来，半跪着说："我只想要夫人一样东西，夫人不要害怕。"随即割下了她的左边耳朵，并给她敷上了药末，说："几天不沾水，自然会结了痂痊愈。"然后他们彼此呼喊着离去了。夫人被他们吓得差点儿丢了魂，伤口果然没有出血，也不怎么疼，不久就痊愈了。说这伙强盗是来报仇吧，却不杀不淫；说是来抢劫吧，却一样东西也不抢。既然不杀不淫不抢，却又割了耳朵去；既然割下了耳朵，却又赠好药给她。那么应是专门取耳朵来的。但要取这耳朵又是什么意思呢？苦思冥想，怎么也想不出个所以然来，天下真有不可理喻的事情。邱人龙说："如果把这个强盗捉住了，就能弄出个所以然来；其所以然也肯定有一定道理，但肯定不是我们所想得到的道理。"可见讨论天下的事，不能只根据常理来判断有无。

书　痴

【原文】

先妣安公曰："子弟读书之余，亦当使略知家事，略知世事，而后可以治家，可以涉世。明之季年，道学弥尊，科甲弥重。于是黠者坐讲心学，以攀援声气；朴者株守课册，以求取功名。致读书之人，十无二三能解事。崇祯壬午，厚斋公携家居河间，避孟村土寇。厚斋公卒后，闻大兵将至河间，又拟乡居。濒行时，比邻一叟顾门神叹曰：'使今日有一人如尉迟敬德、秦琼，当不至此。'汝两曾伯祖，一讳景星，一讳景辰，皆名诸生也。方在门外束襆被，闻之，与辩曰：'此神荼、郁垒像，非尉迟敬德、秦琼也。'叟不服，检邱处机《西游记》为证。二公谓委巷小说不足据，又入室取东方朔《神异经》与争。时已薄暮，检寻既移时，反复讲论又移时，城门已阖，遂不能出。次日将行，而大兵已合围矣。城破，遂全家遇难。惟汝曾祖光禄公、曾伯祖镇番公及叔祖云台公存耳。死生呼吸，间不容发之时，尚考证古书之真伪，岂非惟知读书不预外事之故哉！"

姚安公此论，余初作各种笔记，皆未敢载，为涉及两曾伯祖也。今再思之，书痴尚非不佳事，古来大儒似此者不一，因补书于此。

【译文】

先父姚安公曾说："子弟们读书之外，也应该叫他们知道些家事世事，以后他们才可以治家涉世。明代末年，道学的地位高，科考被人看重。于是，那些机灵的人去研究心学，攀附有声望的人；老实人便死钻经书，为了求取功名。致使那些读书的人，懂得世事的不足十分之二三。崇祯十五年，厚斋公带着他的全家住在河间府，以躲避孟村的土匪。厚斋公去世后，听说大兵将到河间来，又打算躲到乡下。临走时，邻居一个老人看着门神叹息道：'假如今天有一个像尉迟敬德、秦琼这样的人，也不会到这种地步。'你们的两位曾伯祖，一个叫景星，另一个叫景辰，都是有名的儒生。两个人正在外面打点着行装，听了这席话，便争辩说：'这只是神荼、郁垒像，不是尉迟敬德和秦琼。'老人听了心里不服，就以邱处机的《西游记》为证。这两位曾伯祖说那种街谈巷议的小说不足以为证，那老人又拿来东方朔的《神异经》来争论。当时已接近黄昏，查找书籍浪费了不少时间，反复争辩又用去不少时间，后来城门关闭，出不去了。第二天，他们要走，可是大兵已经包围了河间城。城陷以后，全家都遇难了。只有你曾祖光禄公、曾伯祖镇番公及叔祖云台公活了下来。在生死存亡间不容发之时，还在考证古书的真假，这难道不是只知读书而不闻外面世事的缘故么？"

姚安公讲的这段故事，在我当初写的各种笔记中都没有敢载入，因为涉及到了两位曾伯祖。如今又一想，书呆子也不能说是丑事，自古以来的大儒像这样的也不止一位，因而补记在这里。

滇中令

【原文】

门人有作令云南者，家本苦寒，仅携一子一童，拮据往，需次会城。久之，得补一县，在滇中，尚为膏腴地。然距省城窎远，其家又在荒村，书不易寄。偶得鱼雁，亦不免浮沉，故与妻子几断音问。惟于坊本缙绅中，检得官某县而已。偶一狡仆舞弊，杖而遣之，此仆衔次骨。其家事故所备知，因伪造其童书，云主人父子先后卒，二棺今浮厝佛寺，当措资来迎。并述遗命，处分家事甚悉。

初，令赴滇时，亲友以其朴讷，意未必得缺；即得缺，亦必恶。后闻官是县，始稍稍亲近，并有周恤其家者，有时相馈问者。其子或有所称贷，人亦辄应，且有以子女结婚者。乡人有宴会，其子无不与也。及得是书，皆大沮。有来唁者，有不来唁者。渐有索逋者，渐有道途相遇似不相识者。童奴婢媪皆散。不半载，门可罗雀矣。

既而令托入觐官寄千二百金至家迎妻子，始知前书之伪，举家破涕为笑，如在梦中。亲友稍稍复集，避不敢见者，颇亦有焉。

后令与所亲书曰：“一贵一贱之态，身历者多矣；一贫一富之态，身历者亦多矣。若夫生而忽死，死逾半载而复生，中间情事，能以一身亲历者，仆殆第一人矣。”

【译文】

我有个门生在云南当县令。他家境本来苦寒，就任时只带了一个儿子和一个童子，紧巴巴地到省城补缺。等了很久，补了一个县令，在云南中部，还算是个富饶之地。但是该县离省城较远，他家又在荒村，书信不容易寄达。偶然有捎信的人，也难得到收信人手中，因此和妻子儿女几乎断了音信。家人只能在坊刻本的《缙绅录》中查得他在某县做官。这时，偶然他的一个狡猾的仆人舞弊，被他打了一顿赶走了，这仆人就对他恨之入骨。他对县令的家事很熟悉，就假冒童子写信说，主人父子都先后死了，两口棺材都放在佛庙中，请借钱来迎。同时还写了主人的遗嘱，安排家事很详细。

当初县令前往云南时，亲友因为他质朴老实，认为他未必能补上官，即使补了官也一定不是好的职位。后来听说他当了这个县的县令，才稍稍和他的家人亲近，有的出钱周济，有的时常赠送东西慰问。他的儿子有时向人借钱，对方也是有求必应，而且有的还和他家攀谈亲事。村里每次宴会，他的儿子都被邀参加。等得到这封信，人们都大失所望，有来吊丧的，有不来的。渐渐有来讨债的，有的在路上相遇装作好像不认识似的。他家的童奴婢媪都走了，不到半年，门庭冷落得不见人影。

不久，这位县令托进京晋见皇帝的官员把一千二百两银子带给家里让家眷到云南去，才知道前一封信是假的，全家人破涕为笑，好像在梦中。于是亲友又渐渐聚拢来，也有很多避而不敢再见的。

后来县令给他的一个好友写信说："一贵一贱的情态，亲身经历过的人很多；一穷一富的情态，亲身经历过的人也很多。至于活着的忽然死了，死了大半年又复活，这其中的情态，由一个人来亲身经历的，我恐怕是第一个。"

鬼有形质

【原文】

刘香畹言：有老儒宿于亲串家。俄主人之婿至，无赖子也。彼此气味不相入，皆不愿同住一屋，乃移老儒于别室。其婿睨之而笑，莫喻其故也。

室亦雅洁，笔砚书籍皆具。老儒于灯下写书寄家，忽一女子立灯下，色不甚丽，而风致颇娴雅。老儒知其为鬼，然殊不畏，举手指灯曰："既来此，不可闲立，可剪烛。"女子遽灭其灯，逼而对立。老儒怒，急以手摩砚上墨沈，掴其面而涂之，曰："以此为识，明日寻汝尸，锉而焚之。"鬼呀然一声去。次日，以告主人。主人曰："原有婢死于此室，夜每出扰人。故惟白昼与客坐，夜无人宿。昨无地安置君，揣君耆德硕学，鬼必不出。不虞其仍现形也。”乃悟其婿窃笑之故。

此鬼多以月下行院中，后家人或有偶遇者，即掩面急走。他日留心伺之，面上仍墨污狼藉。鬼有形无质，不知何以能受色？当仍是有质之物，久成精魅，借婢幻形耳。《酉阳杂俎》曰：“郭元振尝山居，中夜，有人面如盘，瞋目出于灯下。元振染翰题其颊曰：‘久戍人偏老，长征马不肥。’其物遂灭。后随樵闲步，见巨木上有白耳，大数斗，所题句在焉。”是亦一证也。

【译文】

据刘香畹说，有位老儒生住在亲戚家，恰好主人的女婿也来了，这女婿是个无赖。两人合不来，都不愿意同住在一个屋子里，于是老儒搬到另外一间屋去。女婿斜着眼笑，不知什么缘故。

这间屋子也还雅致整洁，笔砚书籍都有。老儒在灯下给家里写信，忽然一女子站在灯下，不怎么漂亮，但文雅大方。老儒知道她是鬼，但一点也不怕，用手指着灯说：“既然到了这里，就不能闲站着，剪剪灯花吧。”女子一下就把灯弄灭了，然后逼近老儒与他面对。老儒发怒，急忙用手抹一把砚中的剩墨，打在鬼脸上，说：“以这为标记，明天找到你的尸体，碎成段烧掉！”鬼叫了一声跑了。第二天老儒告诉了主人，主人说：“原来有个婢女死在这间屋子里，晚上常出来打扰人，所以只在白天让客人坐一坐，晚上就没人住了。昨天没有地方安顿你，料想你年长德高，饱读诗书，鬼不敢出来。不料她还是现形出来。”老儒这才醒悟到主人的女婿暗笑的原因。

此鬼常在月下来往于院中，后来有人偶然遇见她，她就掩面急走。有一天留心观察，她脸上仍然墨迹狼藉。鬼有形没有质，不知为什么能着色？这可能是有质的怪物，时间长了变成精魅，借婢女幻形。《酉阳杂俎》中说："郭元振曾住在山里，半夜时，有个脸像盘子那么大的人瞪着眼突然出现在灯下。元振用笔在这人的脸颊上题写道：'久戍人偏老，长征马不肥。'这人就不见了。后来他跟着樵夫散步，看见大树上有个白木耳，有好几斗那么大，所题诗句就在上面。"这也是一个例子。

故人之情

【原文】

老仆施祥，尝乘马夜行至张白。四野空旷，黑暗中有数人掷沙泥，马惊嘶不进。祥知是鬼，叱之曰："我不至尔墟墓间，何为犯我？"群鬼揶揄曰："自作剧耳，谁与尔论理！"祥怒曰："既不论理，是寻斗也。"即下马，以鞭横击之。喧哄良久，力且不敌，马又跳踉掣其肘。意方窘急，忽遥见一鬼狂奔来，厉声呼曰："此吾好友，尔等毋造次！"群鬼遂散。祥上马驰归，亦不及问其为谁。次日，携酒于昨处奠之，祈示灵响，寂然不应矣。祥之所友，不过厮养屠沽耳，而九泉之下，故人之情乃如是。

【译文】

老仆施祥，有一次骑马夜行去张白，田野空旷无人，黑暗中有几个人掷泥沙，马惊叫不往前走。施祥知道闹鬼，喝叱道："我没有进入你们的坟地，为什么侵犯我？"群鬼嘲弄道："我们玩我们的，谁和你讲道理？"施祥怒道："既然不讲道理，就要挨打。"随即下马用鞭子横扫。混战了很久，他渐渐支持不住了，马又乱蹦乱跳地碍事。急迫之中，远远地看见一个鬼狂奔而来，厉声叫道："这是我的好朋友，你们不要乱来！”群鬼就散去了。施祥骑马跑回来，没来得及问那个鬼是谁。第二天他带着酒来到昨夜打斗的地方祭奠，想看看有什么反应，但静静的没有反应。施祥的朋友，不过是些奴仆、喂马的、屠户、卖酒的之类的下层人，但在九泉之下，还如此不忘老朋友的情谊。

御下过严

【原文】

饮食男女，人生之大欲存焉。干名义，渎伦常，败风俗，皆王法之所必禁也。若痴儿呆女，情有所钟，实非大悖于礼者，似不必苛以深文。

余幼闻某公在郎署时，以气节严正自任。尝指小婢配小奴，非一年矣，往来出入，不相避也。一日，相遇于庭。某公亦适至，见二人笑容犹未敛，怒曰："是淫奔也！于律奸未婚妻者杖。"遂亟呼杖。众言："儿女嬉戏，实无所染，婢眉与乳可验也。"某公曰："于律谋而未行，仅减一等。减则可，免则不可。"卒并杖之，创几殆。自以为河东柳氏之家法，不过是也。自此恶其无礼，故稽其婚期。二人遂同役之际，举足趑趄，无事之时，望影藏匿。跋前疐后，日不聊生。渐郁悒成疾，不半载内，先后死。其父母哀之，乞合葬。某公仍怒曰："嫁殇非礼，岂不闻耶？"亦不听。后某公殁时，口喃喃似与人语，不甚可辨。惟"非我不可，于礼不可"二语，言之十余度，了了分明。咸疑其有所见矣。

夫男女非有行媒，不相知名，古礼也。某公于孩稚之时，即先定婚姻，使明知为他日之夫妇。朝夕聚处，而欲其无情，必不能也。内言不出于阃，外言不入于阃，古礼也。某公童婢无多，不能使各治其事。时时亲相授受，而欲其不通一语，又必不能也。其本不正，故其末不端。是二人之越礼，实主人有以成之。乃操之已蹙，处之过当，死者之心能甘乎？冤魄为厉，犹以"于礼不可"为词，其斯以为讲学家乎？

【译文】

吃喝与情爱，人生的最大欲望就在这些方面。但是冒犯道义，亵渎伦理纲常，败坏风俗，都是国家法律所必须禁止的。但是像痴儿呆女，彼此钟情，只要不过于违背礼教的，似乎不必用苛刻的法律条文加以深究。

我小时候听说某公在郎署做官时，以气节严厉刚正为己任。他曾把家中的小婢指配给小奴，好几年了，因此两人往来出入，就不互相避开了。一天，两人在庭院中遇到了，恰好某公也在，他看见二人脸上的笑容还没有收敛，便发怒道："这是淫奔！按法律奸淫未婚妻的人，打板子。"就立即叫打板子。大家说："小儿女在一起玩耍，实际上并没有奸情，从婢女的眉头与乳房发育上可以验证。"某公说："按法律，有想法但没有实行的，只减一等罪。减罪可以，免罪却不可以。"还是把两人打了一顿，差点儿打死了。他自以为河东柳氏的家法也不过如此。从此以后就讨厌他们的无礼，故意拖延他们的婚期。两人在一起干活时，便举手投足之时很拘谨，没有事的时候，看见对方的影子就互相躲避，进退两难，惶惶不可终日。渐渐忧郁成病，不到半年，就先后死了。他们父母可怜他们，请求将二人合葬。某公还是发怒道："嫁给夭折的人违礼，你们难道没听说过吗？"也不允许。后来某公临终时，嘴里喃喃好像在和人说话，听不大清楚。只是"非我不可"、"于礼不可"两句话，说了十多遍，非常清晰。大家都怀疑他见到了什么。

男女之间没有媒妁，互相不知道姓名，是古礼。某公在这两人孩稚的时候，就已经给他们定下了婚姻，让他们清楚地知道将来是夫妻。两人朝夕相处，却想要叫他们彼此没有感情，是绝对不可能的。家里的话不能传到外面去，外面的话不能传到家里来，这是古礼。某公奴婢不多，不能够让他们各自做自己的事情。他们常常在一起接触，而想要他们互相不说一句话，这又是绝对不可能的。他的根不正，因此他的枝节也不会端正。这二人的越礼，实际上是主人造成的。而当时操持过于仓促，后来处理又失当，死者怎能甘心呢？冤魂为祸侵犯他时，还在念叨"于礼不可"，还认为他是道学家吗？

因果

【原文】

老儒刘泰宇，名定光，以舌耕为活。有浙江医者某，携一幼子流寓。二人甚相得，因卜邻。子亦韶秀，礼泰宇为师。医者别无亲属，濒死托孤于泰宇，泰宇视之如子。适寒冬，夜与共被。有杨甲为泰宇所不礼，因造谤曰："泰宇以故人之子为娈童。"泰宇愤恚。问此子，知尚有一叔，为粮艘旗丁掌书算。因携至沧州河干，借小屋以居。见浙江粮艘，一一遥呼，问有某先生否。数日，竟得之，乃付以侄。其叔泣曰："夜梦兄云侄当归，故日日独坐舵楼望。兄又云：'杨某之事，吾得直于神矣。'则不知所云也。"泰宇亦不明言，悒悒自归。迂儒拘谨，恒念此事无以自明，因郁结发病死。

灯前月下，杨恒见其怒目视。杨故犷悍，不以为意。数载亦死，妻别嫁，遗一子，亦韶秀。有宦室轻薄子，诱为娈童，招摇过市，见者皆太息。

泰宇，或云肃宁人，或云任丘人，或云高阳人。不知其审，大抵住河间之西也。迹其平生，所谓殁而可祀于社者欤！此事在康熙中年。三从伯灿宸公喜谈因果，尝举以为戒。久而忘之，戊午五月十二日，住密云行帐，夜半睡醒，忽然忆及。悲其名氏翳如，至滦阳后，为录大略如右。

【译文】

老儒生刘泰宇，名定光，以教书为生。有位浙江医生带着幼小的儿子流落到刘泰宇的村子。两人相处得融洽，便比邻而居。医生的儿子聪敏清秀，拜刘泰宇为老师。医生没有别的亲属，临终时把儿子托付给泰宇，泰宇把他当作亲生儿子。适逢寒冷的冬天，晚上两人共盖一床被子。有个叫杨甲的人，泰宇看不上他。因此杨甲造谣说："泰宇把旧友的儿子当作娈童。"泰宇又气又恨，问这个儿子，知道他还有一个叔叔，是替押粮船的旗丁管文书账目的。于是把小孩带到沧州河岸，借了一间小屋居住。看见浙江粮船便远远地叫喊，问有某先生在船上没有？找了几天，竟然找到了那小孩的叔叔，就把小孩交给了他。小孩的叔叔哭着说："夜晚梦见哥哥说，侄儿该回来了，因此天天坐在舵楼瞭望。哥哥还说：'杨某的事，我在神前告赢了。'却不知说的是什么事。"泰宇也不明白说出来，郁郁地自己回家去了。他迂腐拘谨，常常想起这事没法洗清自己，因此忧郁发病而死。

在灯前月下，杨甲经常看见泰宇怒目而视。杨本来强悍粗犷，也不在乎。过了几年也死了，他妻子改嫁了，留下一个儿子也聪敏清秀。有位轻薄的公子引诱这小孩当了娈童，毫不避人地招摇过市，见到的人都叹息不已。

泰宇，有人说是肃宁人，有人说是任丘人，有人说是高阳人，不知究竟是哪里人，大概住在河间府以西的地方。考察他的一生，可以说是死后可以在社庙里祭祀的人吧。这事发生在康熙中期。我的三堂伯灿宸公喜欢谈因果报应，曾经举这事叫人引以为戒。年长日久，就忘了这事。戊午年五月十二日，我住在密云行帐中，半夜醒来忽然想起这事，感伤他的姓名渐为人所忘，到了滦阳后，记下了以上这些。

奴不及狐

【原文】

小时闻乳母李氏言：一人家与佛寺邻，偶寺廊跃下一小狐，儿童捕得，絷缚鞭棰，皆慑伏不动。放之则来往于院中，绝不他往。与之食则食，不与亦不敢盗，饥则向人摇尾而已。呼之似解人语，指挥之亦似解人意。举家怜之，恒禁儿童勿凌虐。

一日，忽作人语曰："我名小香，是钟楼上狐家婢。偶嬉戏误事，因汝家儿童顽劣，罚受其蹂躏一月。今限满当归，故此告别。"问："何故不逃避？"曰："主人养育多年，岂有逃避之理？"语讫，作叩额状，翩然越墙而去。时余家一小奴窃物远扬，乳母因说此事，喟然曰："此奴乃不及此狐！"

【译文】

小时候听乳母李氏说，一户人家挨着佛寺居住。一天佛寺廊殿上突然跳下一只小狐狸，被儿童们捕捉住了，用绳子绑住鞭打，小狐趴在地上不动。放开它，它就在院子中来来往往，绝不到别处去。给它食物就吃，不给也不敢偷，饿了就向人摇尾巴。叫它好像懂得人的语言，指示它做什么好像也懂得人的意思。全家人都很怜爱它，禁止孩童们虐待它。

一天，它忽然说起了人话："我名叫小香，是钟楼上狐家的婢女。有一次贪玩误了事，因为你们家的儿童顽皮，罚我受他们虐待一个月。现在期限到了，应当回去，因此向你们告别。"问它为什么不逃避。它说："主人养育我多年，岂有逃避之理。"说完，做出叩头的样子，然后轻轻地翻墙走了。当时我家一个小奴偷了东西远走高飞，乳母就说了这个故事，叹息说："这个小奴竟然还不如这只狐狸。"

狐善画

【原文】

狐能诗者，见于传记颇多，狐善画则不概见。海阳李丈砚亭言：顺治、康熙间，周处士璕薄游楚豫。周以画松名，有士人倩画书室一壁。松根起于西壁之隅，盘拏夭矫，横径北壁，而纤末犹扫及东壁一二尺，觉浓阴入座，长风欲来。置酒邀社友共赏。

方攒立壁下，指点赞叹，忽一友拊掌绝倒，众友俄亦哄堂。盖松下画一秘戏图，有大木榻，布长簟，一男一妇，裸而好合，流目送盼，媚态宛然。旁二侍婢亦裸立，一挥扇驱蝇，一以两手承妇枕，防蹂躏坠地。乃士人及妇与媵婢小像也。哗然趋视，眉目逼真，虽童仆亦辨识其面貌，莫不掩口。

士人恚甚，望空指划詈妖狐。忽檐际大笑曰："君太伤雅。曩闻周处士画松，未尝目睹。昨夕得观妙迹，坐卧其下不能去，致失避君。未尝抛砖掷瓦相忤也，君遽毒詈，心实不平，是以与君小作剧。君尚不自反，乖戾如初，行且绘此像于君家白板扉，博途人一粲矣。君其图之。”盖士人先一夕设供客具，与奴子秉烛至书室，突一黑物冲门去。士人知为狐魅，曾诟厉也。

众为慰解，请入座，设一虚席于上。不见其形，而语音琅然。行酒至前辄尽，惟不贪肴馔，曰：“不茹荤四百余年矣。”濒散，语士人曰：“君太聪明，故往往以气凌物。此非养德之道，亦非全身之道也。今日之事，幸而遇我，倘遇负气如君者，则难从此作矣。惟学问变化气质，愿留意焉。”丁宁郑重而别。回视所画，净如洗矣。

次日，书室东壁忽见设色桃花数枝，衬以青苔碧草。花不甚密，有已开者，有半开者，有已落者，有未落者，有落未至地，随风飞舞者八九片，反侧横斜，势如飘动，尤非笔墨所能到。上题二句曰：“芳草无行径，空山正落花。”不署姓名，知狐以答昨夕之酒也。后周处士见之，叹曰：“都无笔墨之痕，觉吾画犹努力出棱，有心作态。”

【译文】

狐狸能作诗的，传记中多有记载。狐狸善画，就不大常见了。海阳人李砚亭先生说，顺治、康熙年间，处士周琤游历湖北、河南一带。他以画松著名，有个读书人请他在书房的墙上作画。周处士画的松树根生在西墙一角，枝干伸展到北墙，树梢还占了东墙一二尺的地方。只觉满座浓阴，似乎有风吹来。士人准备酒肴邀请朋友一起欣赏。

大家正在聚在一起指点赞叹，忽然一人拍掌大笑，其他朋友接着也都哄堂大笑。原来松树下画着一幅秘戏图，画面上有张大木床，床上铺着席子，一男一女正赤裸着相交，眉目含情，媚态逼真。旁边有两个侍婢也赤裸站着，一个拿着扇子赶蚊蝇，一个用两手扶住女人的枕头，防止她掉到地上。这是士子和妻子以及妾婢的小像。大家争相来看，画中人一个个都很相像，即使是童仆也能认出画中人是谁，没有不掩口而笑的。

士人大怒，对着空中骂妖狐。忽然房檐上有人笑道："你太伤大雅。以前听说周处士善于画松树，我没有亲眼看见过。昨晚观赏他的画，坐卧在画下舍不得离去，以致没来得及避开你。我也没曾抛砖扔瓦得罪你，你就大骂起来。我心中不平，因此和你开个小玩笑。你还不反省，还是那样粗暴无礼，那我将把这幅图画在你家门上，叫路人也来乐乐。你考虑一下吧。"原来士子昨晚准备请客的用具，和奴仆举着灯到书房，突然有个黑色的东西冲开门跑了。士子知道是狐魅，大骂一通。

大家都来说情，摆了一桌酒席，设一虚席，请狐入上座。不见狐狸的身影，但它说话声音洪亮。酒到跟前就干了，但它不吃菜，说有四百年没吃荤了。临散去时，狐狸对士子说："你太聪明了，所以往往盛气凌人，这不是修养德行的方式，也不是保全自己的方式。今天的事幸亏遇上的是我，如果遇上像你那样任性使气的，就将招来大祸了。只有学问能够改变人的气质，请你努力。"狐狸郑重地叮嘱后告别走了。再看墙上的画，已经消失了，像洗过一样干净。

第二天，书房的东墙上，忽然出现几枝艳丽的桃花，衬着青苔碧草。花不很密，有已经开了的，有未开的，有已经落下的，有没有落下的有八九片落下却还没掉到地上的，随风飘舞，花瓣正侧横斜，好像在飘动，尤其不是笔墨所能表现出来的。上面写了两句诗："芳草无行径，空山正落花。"没有署名，知道是狐狸来答谢昨夜的酒宴。后来周处士看见这幅画，叹道："一点儿没有笔墨的痕迹，相比之下，我的画实在有些做作。"

旧仆悔过

【原文】

同年胡侍御牧亭，人品孤高，学问文章，亦具有根柢。然性情疏阔，绝不解家人生产事，古所谓不知马几足者，殆有似之。奴辈玩弄如婴孩。尝留余及曹慕堂、朱竹君、钱辛楣饭，肉三盘，蔬三盘，酒数行耳，闻所费至三四金，他可知也。同年偶谈及，相对太息。竹君愤尤甚，乃尽发其奸，迫逐之。然积习已深，密相授受，不数月，仍故辙。其党类布在士大夫家，为竹君腾谤，反得喜事名。于是人皆坐视，惟以小人有党，君子无党，姑自解嘲云尔。后牧亭终以贫困郁郁死。

死后一日，有旧仆来，哭尽哀，出三十金置几上，跪而祝曰："主人不迎妻子，惟一身寄居会馆，月俸本足以温饱，徒以我辈剥削，致薪米不给。彼时以京师长随，连衡成局，有忠于主人者，共排挤之，使无食宿地，故不敢立异同。不虞主人竟以是死，中心愧悔，夜不能眠。今尽献所积助棺敛，冀少赎地狱罪也。"祝讫自去。满堂宾客之仆，皆相顾失色。

陈裕斋因举一事曰：有轻薄子见少妇独哭新坟下，走往挑之。少妇正色曰："实不相欺，我狐女也。墓中人眈我之色，至病瘵而亡。吾感其多情，而愧其由我而殒命，已自誓于神，此生决不再偶。尔无妄念，徒取祸也。"此仆其类此狐欤？然余谓终贤于掉头竟去者。

【译文】

我的同年胡侍御牧亭，孤僻清高，学问文章很有根底。但是性情疏懒迂阔，一点不懂家事和生产方面的事。古时所说的有人不知马有几条腿，他就有些像这种人。奴仆们玩弄他好像小孩。他曾留我和曹慕堂、朱竹君、钱辛楣吃饭，只有三盘荤菜、三盘蔬菜、几杯酒，听说竟花费了三四两银子，其他事可想而知了。几个偶然谈起来，就相对着叹息。朱竹君尤其愤怒，把奴仆愚弄主人的事揭发了出来，逼迫他赶走奴仆。然而积重难返，奴仆们暗中传授骗术，不到几个月又恢复原先的状态。这些人的同伙分散在士大夫家，给朱竹君造谣，他反而得了个好管闲事的名声。于是人们对此都坐视不管，只以"小人结党，君子无党"姑且来自我解嘲。后来胡牧亭终究因贫穷郁郁而死。

死后第二天，有个旧时的仆人来了，哭得很悲伤，并拿出三十两银子放在桌上，跪着祷告说："主人不接妻子来，只一个人寄住在会馆里，俸禄本来足够吃穿的。只因我们这些人从中盘剥以致柴米不继。那时京师的仆从已结成联盟，谁要忠于主人，大伙一起排挤他，使他没有吃住的地方，所以谁也不敢出来说句公道话。不料主人竟因此而死。我心中惭愧悔恨，夜里睡不着。如今把我的积蓄全部拿出来安葬主人，希望稍稍能赎罪。"祷告完后他就走了。满堂宾客的仆人都互相看着，脸色都变了。

陈裕斋于是讲了一个故事，说有个轻薄公子看见一个少妇独自在新坟前哭泣，就走过去挑逗她。少妇严肃地说："我不隐瞒你，我是狐女。坟墓中的人贪恋我的姿色，以致得痨病死了。我感念他的多情，而愧疚他因我而死，因此向神发誓，这辈子决不再找男人。你不要有邪念，那样只会自取祸患。"这个仆人就像这个狐女一样吧！我认为他们毕竟胜过主人死了掉头便走的人。